BEST EVER

WORDSEARCH

extra

igloobooks

Published in 2022
First published in the UK by Igloo Books Ltd
An imprint of Igloo Books Ltd
Cottage Farm, NN6 0BJ, UK
Owned by Bonnier Books
Sveavägen 56, Stockholm, Sweden
www.igloobooks.com

0322 002
2 4 6 8 10 9 7 5 3
ISBN 978-1-83852-119-6

Cover images: © iStock / Getty

Cover designed by Dave Chapman

Puzzle compilation, typesetting and design by:
Clarity Media Ltd, http://www.clarity-media.co.uk

Printed and manufactured in China

No. 1 Under The Weather

W	L	S	E	S	T	K	C	O	U	G	H	G
J	A	L	L	O	N	I	G	G	L	E	B	W
R	D	S	S	L	H	F	M	S	A	P	S	J
I	L	I	R	O	I	R	R	D	O	S	W	A
Q	R	N	L	E	T	H	A	R	G	Y	G	Z
B	R	U	I	S	E	C	C	E	N	R	P	T
D	A	S	K	T	H	V	A	H	I	U	W	R
E	C	I	E	E	I	R	T	A	F	J	P	T
G	A	T	M	R	A	V	A	C	F	N	K	S
E	K	I	U	C	R	X	R	K	I	I	N	A
U	D	S	H	I	V	E	R	I	N	G	T	P
C	R	E	V	E	F	A	H	N	S	N	S	O
D	R	R	T	U	J	F	Q	G	V	L	L	K

BRUISE
CATARRH
CHILLS
COUGH
EARACHE
FEVER
HACKING
HEADACHE
INJURY
LETHARGY
NIGGLE
SHIVERING
SINUSITIS
SNIFFING
SPASM
VIRUS

No. 2 Pablo Picasso

E	L	R	K	Y	G	D	F	A	H	I	R	P
O	T	T	T	A	R	N	U	L	S	Z	T	E
D	R	T	H	E	N	T	T	T	I	M	D	G
K	E	W	E	E	G	U	E	R	N	I	C	A
T	T	X	L	V	A	T	O	O	A	N	U	L
Y	N	A	O	A	L	C	L	Y	P	O	B	L
V	I	F	V	U	L	Y	T	W	S	T	I	O
L	A	R	E	V	E	E	S	O	A	A	S	C
T	P	I	R	Y	U	T	C	F	R	U	T	C
K	E	S	S	C	U	L	P	T	O	R	R	K
B	Q	U	E	T	H	E	S	T	U	D	I	O
L	E	K	V	S	S	C	I	M	A	R	E	C
H	O	D	O	N	Q	U	I	X	O	T	E	J

CERAMICS
COLLAGE
CUBIST
DON QUIXOTE
GUERNICA
LA LECTURE
LA REVE
MINOTAUR
PAINTER
POETRY
SCULPTOR
SPANISH
SYLVETTE
THE ACTOR
THE LOVERS
THE STUDIO

No. 3 Take It On Holiday

E	V	C	F	U	P	T	R	D	G	R	Y	R
E	N	U	Q	Q	N	S	V	R	W	T	H	R
T	I	R	E	V	A	H	S	A	F	D	S	C
S	Z	R	Y	T	V	R	T	L	L	W	U	L
A	U	E	C	R	E	D	I	T	C	A	R	D
P	T	N	O	T	A	P	C	T	A	T	B	P
H	O	C	G	W	F	R	K	A	P	C	H	A
T	W	Y	A	L	B	N	E	H	J	H	T	G
O	E	L	O	L	A	V	T	N	A	C	O	U
O	L	P	N	L	I	S	S	U	I	L	O	O
T	S	P	U	S	E	U	S	S	I	T	T	S
E	D	R	A	C	C	I	H	E	L	N	I	S
O	B	G	Z	A	T	R	O	P	S	S	A	P

CREDIT CARD
CURRENCY
EHIC CARD
FLIP-FLOPS
ITINERARY
PASSPORT
SHAVER
SUN HAT
SUNGLASSES
TICKETS
TISSUES
TOOTHBRUSH
TOOTHPASTE
TOWELS
VISA
WATCH

No. 4 Clothes

P	L	U	W	T	F	L	Z	L	L	N	M	Z
N	S	K	J	V	H	K	A	R	O	P	A	X
L	W	E	N	U	K	G	M	E	B	E	W	A
G	G	S	E	I	A	I	E	Z	F	L	T	K
A	O	Z	M	R	T	A	V	A	R	C	T	C
N	S	O	M	T	A	W	U	L	E	S	M	O
A	N	E	E	T	C	G	E	B	B	E	V	R
O	N	N	S	T	T	L	N	A	O	E	J	F
T	S	P	L	U	S	F	O	U	R	S	X	A
A	T	E	N	N	O	B	F	A	D	K	B	G
A	D	Q	Z	T	P	L	L	P	K	C	S	C
B	A	C	I	J	A	L	B	A	E	O	R	N
T	V	O	F	B	S	L	W	A	H	S	T	O

BLAZER
BLOUSE
BONNET
CLOAK
CRAVAT
DUNGAREES
FROCK
GARMENT

KIMONO
KNITWEAR
MITTENS
OVERALLS
PLUS FOURS
ROBE
SHAWL
SOCKS

No. 5 In The Office

E	S	T	N	E	I	L	C	H	A	R	T	S
P	L	A	N	N	E	R	P	P	B	R	T	W
L	I	A	M	E	T	C	I	X	S	A	E	X
A	C	O	M	P	U	T	E	R	P	T	I	S
D	N	A	W	L	P	D	X	L	H	R	P	E
J	E	Z	W	H	I	T	E	B	O	A	R	D
B	P	M	Z	W	T	R	C	S	A	I	I	S
X	U	C	P	L	L	W	U	L	K	N	N	I
U	P	T	H	L	V	B	T	M	A	E	T	A
F	W	P	R	A	O	P	I	B	N	E	E	C
T	Y	G	A	O	I	Y	V	J	R	O	R	R
P	P	I	C	T	U	R	E	S	F	P	B	I
K	I	G	I	E	Y	T	S	E	U	L	G	M

CHAIR
CHARTS
CLIENTS
COMPUTER
DESK
EMAIL
EMPLOYEE
EXECUTIVES
GLUE
PENCILS
PICTURES
PLANNER
PRINTER
STAPLER
TRAINEE
WHITEBOARD

No. 6 Horse Racing Tracks

F	B	S	I	H	L	E	M	T	R	A	C	B
B	A	R	M	H	B	A	G	F	A	E	A	N
Q	R	R	A	C	D	E	R	A	G	E	R	E
P	Z	I	R	D	S	E	V	K	L	Y	L	W
L	C	N	G	T	O	S	L	E	K	R	I	B
O	O	O	C	H	I	N	Q	N	R	N	S	U
B	A	T	H	T	T	P	C	H	C	L	L	R
G	E	P	E	Z	N	O	E	A	R	X	E	Y
K	E	M	P	T	O	N	N	M	S	O	Z	Y
A	U	U	S	R	E	T	E	X	E	T	U	T
B	B	L	T	N	O	L	N	L	O	Y	E	M
N	U	P	O	N	T	E	F	R	A	C	T	R
K	B	Y	W	E	Z	T	O	Q	J	Z	Y	G

BATH
BEVERLEY
BRIGHTON
CARLISLE
CARTMEL
CHEPSTOW
DONCASTER
EXETER
FAKENHAM
KELSO
KEMPTON
NEWBURY
PLUMPTON
PONTEFRACT
REDCAR
WINCANTON

No. 7 World Cities

V	E	N	I	C	E	O	U	T	T	K	Z	Q
C	K	O	K	G	N	A	B	R	V	A	K	A
L	P	T	N	D	S	O	Q	Z	S	S	Z	J
T	R	S	A	S	I	G	D	E	M	O	R	F
I	L	G	I	N	R	R	D	N	U	G	E	T
C	K	N	R	E	A	N	D	M	O	A	V	A
Y	P	I	O	H	P	O	R	A	Z	L	P	Q
T	W	K	B	T	S	B	S	N	M	T	A	B
S	S	M	I	A	L	S	R	A	P	F	L	T
Z	I	D	U	B	L	I	N	G	O	A	M	E
Q	O	X	A	K	X	L	M	U	P	B	P	R
X	Y	I	B	A	G	H	D	A	D	S	X	P
R	R	P	R	C	V	T	Z	L	H	I	S	T

ATHENS
BAGHDAD
BANGKOK
DUBLIN
HAMILTON
KINGSTON
LA PAZ
LAGOS

LISBON
LONDON
MADRID
MANAGUA
NAIROBI
PARIS
ROME
VENICE

No. 8 Party Time!

K	S	K	N	I	R	D	O	U	L	A	A	M
O	D	B	G	R	T	V	F	L	H	C	A	U
F	N	O	I	T	P	E	C	E	R	T	L	S
N	E	S	A	R	A	G	N	G	L	A	O	I
I	I	F	E	C	T	P	T	D	I	I	T	C
B	R	M	I	R	A	H	I	X	R	O	D	U
B	F	A	W	R	M	T	D	E	M	E	A	L
L	K	Q	T	O	E	L	E	A	L	O	N	N
E	R	Y	V	B	T	W	Y	R	Y	X	C	D
S	L	I	A	T	K	C	O	C	I	R	I	I
L	E	D	R	K	S	S	G	R	Q	N	N	R
S	E	V	P	K	A	R	A	O	K	E	G	D
R	S	O	Y	E	K	C	O	J	C	S	I	D

BIRTHDAY
CATERING
COCKTAILS
DANCING
DISC JOCKEY
DRINKS
FIREWORKS
FRIENDS
HEN PARTY
KARAOKE
MEAL
MOVIES
MUSIC
NIBBLES
RECEPTION
SOIREE

No. 9 Painters

V	U	Z	O	A	H	R	N	T	H	S	Q	A
R	E	N	R	U	T	L	X	P	E	I	J	I
L	S	R	M	I	L	L	A	I	S	N	E	T
S	D	X	M	O	T	Q	T	S	S	A	O	P
X	L	V	P	E	O	T	T	S	I	R	O	M
R	O	A	S	S	E	U	R	A	T	A	E	S
X	N	N	M	S	B	R	B	R	A	T	P	C
R	Y	G	S	B	X	A	T	R	M	C	V	W
Q	E	O	S	K	X	Y	G	O	A	E	U	P
O	R	G	A	U	G	U	I	N	J	Q	G	U
A	S	H	O	G	A	R	T	H	X	F	U	N
O	L	U	V	I	K	U	P	S	R	T	O	E
O	M	H	V	A	N	D	Y	C	K	C	E	P

BRAQUE
GAUGUIN
HOGARTH
KAHLO
MATISSE
MILLAIS
MONET
PISSARRO
REYNOLDS
ROSSETTI
SEURAT
STUBBS
TURNER
VAN DYCK
VAN GOGH
VERMEER

No. 10 Materials And Fabrics

B	H	P	U	F	F	Y	D	M	G	Z	R	I
L	A	C	E	T	E	V	L	E	V	R	D	R
D	P	I	P	A	A	N	G	O	R	A	U	Q
Z	E	I	Z	P	U	F	P	O	U	B	T	X
F	K	E	C	E	E	L	F	S	B	S	T	A
S	E	I	W	O	R	S	T	E	D	I	N	E
P	Z	O	A	T	R	I	R	S	T	S	Z	E
S	O	A	R	U	C	T	A	P	I	A	W	A
L	O	V	T	Z	T	N	I	H	C	L	C	P
S	S	C	S	L	Y	U	V	S	O	R	K	O
X	K	D	U	L	L	R	N	I	O	M	P	V
P	D	A	O	N	X	V	J	R	X	A	Z	I
S	L	N	I	C	R	O	H	L	V	C	L	L

ANGORA
BAIZE
CHINTZ
FLEECE
LACE
MOHAIR
NYLON
RUBBER
SILK
SISAL
STRAW
TAFFETA
TWEED
VELVET
WOOL
WORSTED

No. 11 Hobbies

R	D	P	N	U	U	F	I	S	H	I	N	G
G	T	A	T	S	P	M	A	T	S	S	C	B
N	E	I	S	L	C	O	O	K	I	N	G	R
I	G	N	I	T	T	I	N	K	O	I	P	D
L	W	T	E	G	N	I	T	L	I	U	Q	R
C	G	I	W	A	F	P	S	O	T	T	G	A
Y	R	N	O	C	L	A	F	C	B	C	L	W
C	R	G	I	S	S	O	I	Y	A	O	F	I
A	S	E	E	N	S	R	G	Z	D	I	R	N
I	L	N	T	P	N	B	A	Y	C	N	T	G
K	G	N	I	T	N	U	H	R	C	S	T	J
A	A	Q	M	B	O	O	R	I	G	A	M	I
S	B	P	T	A	G	P	P	R	I	P	T	R

COINS
COOKING
CYCLING
DRAWING
FALCONRY
FISHING
GENEALOGY
HUNTING
KNITTING
ORIGAMI
PAINTING
POTTERY
QUILTING
ROBOTICS
RUNNING
STAMPS

No. 12 Competition

W	E	U	T	S	E	T	N	O	C	T	N	R
I	S	T	A	F	L	S	I	D	A	V	W	I
I	U	A	E	R	O	C	S	H	G	I	H	S
X	T	N	H	A	P	U	S	A	N	C	D	V
M	D	R	D	A	M	R	L	N	T	T	E	U
I	F	E	A	E	D	T	E	P	R	O	R	A
N	A	L	E	I	R	R	A	S	L	R	V	L
X	Q	G	D	S	N	D	I	L	S	A	M	R
U	P	G	Z	E	P	I	O	V	K	U	Y	M
A	O	U	P	T	X	O	N	G	A	C	R	C
D	P	R	E	S	O	L	T	G	O	L	U	E
I	L	T	I	R	R	Z	U	C	L	A	S	H
O	U	S	S	E	C	C	U	S	A	S	S	T

CLASH
CONTEST
DEAD HEAT
FOUL PLAY
HIGH SCORE
LOSER
PRESSURE
RIVALS
STRUGGLE
SUCCESS
TEAM TALK
TOP SEED
TRAINING
UNDERDOG
VICTOR
WINNER

No. 13 On A Boat

C	J	L	R	P	F	T	A	T	S	Y	U	X
R	X	G	L	X	M	E	S	Y	A	U	O	E
D	V	A	Q	U	A	A	R	B	K	I	N	Y
H	W	L	I	G	H	T	S	P	S	R	B	U
C	O	F	E	P	J	I	B	T	U	L	O	S
L	B	N	Z	L	U	L	U	D	T	K	I	S
E	O	L	K	E	E	L	D	P	W	T	O	Q
A	O	W	S	F	L	E	P	B	W	A	U	R
T	M	S	X	P	R	R	C	I	R	S	R	R
P	A	H	E	Q	V	R	N	H	T	A	S	P
S	D	V	H	L	V	C	R	E	T	T	S	P
P	E	L	A	A	H	N	R	E	A	O	J	P
W	V	R	U	I	R	N	K	E	P	L	S	I

BOOM
BOW
CLEAT
FLAG
GENOA
HULL
JIB
KEEL
LEECH
LIGHTS
MAST
PULPIT
RUDDER
STERN
TILLER
WINCH

No. 14 Found In Fairy Tales

R	O	B	I	N	H	O	O	D	S	J	R	T
U	G	L	Y	D	U	C	K	L	I	N	G	R
C	I	N	D	E	R	E	L	L	A	S	O	H
N	E	S	B	M	U	H	T	M	O	T	O	A
I	J	N	N	R	A	P	U	N	Z	E	L	G
P	S	T	O	O	B	N	I	S	S	U	P	O
R	P	O	N	R	W	D	W	O	C	J	R	O
W	R	Y	T	O	C	W	U	I	A	O	I	S
V	R	B	O	S	T	Z	H	C	N	S	N	E
D	O	N	K	E	Y	S	K	I	N	T	C	G
A	N	I	L	E	B	M	U	H	T	L	E	I
R	U	Z	D	X	O	Y	S	W	A	E	S	R
D	O	I	H	C	C	O	N	I	P	V	S	L

CINDERELLA
CRONE
DONKEYSKIN
GOOSE GIRL
HAG
JACK
OLD MAN WINTER
PINOCCHIO
PRINCESS
PUSS IN BOOTS
RAPUNZEL
ROBIN HOOD
SNOW WHITE
THUMBELINA
TOM THUMB
UGLY DUCKLING

No. 15 Football

K	T	T	I	W	S	B	O	O	K	I	N	G
A	E	L	T	A	D	D	O	W	C	Y	P	S
R	L	G	L	R	P	A	F	N	H	S	A	B
L	O	A	U	D	E	L	F	G	A	S	F	A
I	N	T	O	O	H	S	S	O	I	O	R	E
I	V	V	F	R	K	O	I	A	R	R	T	C
L	O	F	O	I	Y	S	D	L	M	C	M	N
T	L	P	P	S	F	T	E	A	A	A	L	A
V	L	P	P	C	A	S	L	U	N	U	Q	R
R	E	R	O	C	S	G	T	A	I	I	Q	A
R	Y	O	X	L	T	I	G	R	N	T	Z	E
W	U	K	E	U	O	E	Z	F	I	E	S	L
R	A	I	L	N	R	S	T	N	X	I	P	C

BOOKING
CAUTION
CHAIRMAN
CLEARANCE
CROSS
DRAW
EQUALISER
FOUL
MANAGER
OFFSIDE
OWN GOAL
PENALTY
SCORE
SHOOT
SKIPPER
VOLLEY

No. 16 Fast-growing Cities

Z	K	H	L	C	E	E	O	H	U	Q	R	R
J	A	A	A	B	Y	V	A	R	N	R	H	M
M	B	I	M	O	E	R	O	H	A	L	T	A
A	U	G	T	P	M	J	K	N	P	K	W	D
K	L	M	A	N	A	G	U	A	U	R	A	I
X	T	B	C	I	A	L	S	I	N	P	U	D
U	W	R	P	G	K	H	A	R	T	O	U	M
C	F	U	P	N	A	C	A	O	I	I	C	A
F	R	J	A	T	H	N	D	B	J	R	A	N
R	L	B	J	L	D	J	N	I	U	N	W	T
P	D	D	H	A	T	R	A	K	A	J	Y	A
D	S	P	E	B	A	F	U	S	N	R	T	P
P	N	I	L	R	J	Y	L	L	A	G	O	S

CONAKRY
DAKAR
DHAKA
JAIPUR
JAKARTA
KABUL
KAMPALA
KHARTOUM
LAGOS
LAHORE
LUANDA
MANAGUA
NAIROBI
PATNA
SANA'A
TIJUANA

No. 17 Periods Of Time

V	D	C	A	C	I	H	T	I	L	O	E	N
B	R	O	N	Z	E	A	G	E	F	M	L	N
T	S	L	I	R	O	N	A	G	E	C	V	D
S	E	D	C	R	I	T	B	S	L	I	B	A
X	G	W	H	R	E	W	O	A	K	A	K	R
L	A	A	E	S	U	P	S	I	R	S	B	K
L	E	R	N	A	O	S	N	O	R	C	P	A
I	L	W	L	T	I	G	Q	U	E	V	T	G
C	D	H	A	C	A	U	S	G	F	P	C	E
O	D	M	I	G	E	G	A	E	N	O	T	S
P	I	S	E	G	A	E	C	A	P	S	K	H
A	M	O	D	G	N	I	K	W	E	N	R	R
G	A	M	E	S	O	L	I	T	H	I	C	C

BAROQUE
BRONZE AGE
CHENLA
CLASSICISM
COLD WAR
DARK AGES
IRON AGE
KOFUN PERIOD
MESOLITHIC
MESOPOTAMIA
MIDDLE AGES
NEOLITHIC
NEW KINGDOM
SPACE AGE
STONE AGE
VIKING AGE

No. 18 Bridging The Thames

L	Y	E	R	K	A	K	F	F	L	O	H	U
E	E	X	O	C	H	E	R	T	S	E	Y	L
L	N	H	O	I	E	Z	S	V	N	W	R	L
E	T	T	L	W	Q	T	A	L	B	Y	O	F
N	U	E	R	S	S	U	E	L	E	N	E	D
E	P	B	E	I	X	Y	T	N	D	H	R	Y
V	F	M	T	H	R	S	O	O	S	S	C	T
K	O	A	A	C	O	T	N	T	W	E	R	J
T	L	L	W	N	S	B	A	L	T	E	R	G
P	L	I	Q	G	D	I	C	A	J	P	R	O
B	Y	P	N	G	N	M	Q	W	I	F	L	B
I	R	I	J	E	I	Y	N	P	P	G	O	V
T	K	H	S	W	W	O	L	R	A	M	S	P

CHELSEA
CHERTSEY
CHISWICK
FOLLY
HENLEY
KINGSTON
LAMBETH
LONDON
MARLOW
PUTNEY
STAINES
TOWER
VAUXHALL
WALTON
WATERLOO
WINDSOR

No. 19 At The Supermarket

```
S L R F R U I T P I B A I
R E E S I Z R H Y E I B U
E Y N M N S X P K S S A F
H K A I E O H E T C O R E
C S E A Z A I M R A I C S
T C L L R A T T O N Z O I
U H C M R W G B C N O D O
B E A S E L B A T E G E V
E C U D O R P L M R S E A
Y K Y L A R E I H S A C R
W O E J N I V B G G S K S
F U D N P X R O L P W B R
S T R O L L E Y P X R B O
```

BARCODE
BUTCHERS
CASHIER
CHECKOUT
CLEANER
DAIRY
FISHMONGER
FRUIT
MAGAZINES
MEAT
PHARMACY
PRODUCE
SCANNERS
SECTIONS
TROLLEY
VEGETABLES

No. 20 Extreme Sports

Y	G	N	I	V	I	D	Y	K	S	T	P	Y
G	N	I	K	L	A	W	G	N	I	W	C	R
N	I	I	S	U	O	R	E	G	N	A	D	C
I	V	C	I	K	Q	T	P	R	V	K	Q	I
D	I	R	E	G	I	G	O	E	R	E	P	S
I	D	M	S	C	N	I	D	V	E	B	A	S
L	A	C	L	S	L	I	N	X	G	O	R	O
G	B	M	X	X	V	I	C	G	L	A	K	R
A	U	X	C	I	T	I	M	A	N	R	O	C
R	C	K	N	E	T	A	A	B	R	D	U	O
A	S	G	N	I	F	R	U	S	I	I	R	T
P	A	I	N	T	B	A	L	L	I	N	G	O
T	R	G	A	X	U	V	L	P	B	G	G	M

BMX
CAVE DIVING
DANGEROUS
EXCITING
ICE CLIMBING
MOTOCROSS
PAINTBALLING
PARAGLIDING
PARKOUR
RACING
SCUBA DIVING
SKIING
SKYDIVING
SURFING
WAKEBOARDING
WING WALKING

No. 21 Cooking

R	Z	K	F	X	K	T	E	A	Z	P	U	L
Z	T	C	L	L	Y	Q	T	M	T	U	L	S
S	S	A	U	C	E	P	A	N	I	G	U	E
R	T	C	T	K	D	M	L	F	O	X	R	H
T	P	S	E	T	A	L	P	E	I	W	E	A
S	L	V	Z	U	N	P	N	R	W	R	M	R
W	H	I	S	K	I	T	D	D	B	O	I	O
C	U	T	L	E	R	Y	I	S	V	R	T	W
G	T	T	J	T	A	G	N	E	L	Y	G	T
H	R	W	T	T	M	T	N	V	S	A	G	C
R	E	I	P	L	E	R	E	C	I	P	E	R
T	A	B	L	E	W	N	R	R	N	T	O	A
A	O	J	A	L	B	L	R	Q	K	L	R	R

CUTLERY
DINNER
EGG TIMER
GRILL
HERBS
KETTLE
MARINADE
MIXER
OVEN
PLATES
RECIPE
SAUCEPAN
SINK
TABLE
TOWEL
WHISK

No. 22 Jazz Music

E	O	U	S	Y	S	V	A	T	L	U	O	S
L	D	C	E	G	D	I	R	B	M	R	C	X
U	O	S	S	H	I	O	A	B	R	A	J	B
J	T	M	D	S	N	A	L	B	L	H	R	E
C	L	R	I	E	V	U	C	E	I	U	B	F
U	O	E	A	C	E	Y	I	B	M	U	A	R
T	N	M	T	N	R	P	T	O	T	K	L	G
T	G	H	O	E	S	O	A	P	E	N	L	W
C	M	T	N	D	I	P	M	B	U	R	A	Q
D	E	Y	I	A	O	M	O	I	B	G	D	L
S	T	H	C	C	N	O	R	S	T	Q	P	A
F	E	R	T	S	K	D	H	W	E	A	B	H
J	R	T	O	G	N	I	C	I	O	V	A	U

BALLAD
BEBOP
BLUE NOTES
BRIDGE
CADENCE
CHROMATIC
DIATONIC
FAKE BOOK
INVERSION
LONG METER
MELODY
RHYTHM
SCALE
SOUL
TRANSPOSE
VOICING

No. 23 Californian Beaches

T	R	N	G	Q	C	I	F	I	C	A	P	M
L	M	C	A	M	O	S	E	A	L	A	M	T
M	I	O	L	L	A	I	R	E	P	M	I	O
O	O	R	L	I	I	L	F	T	O	A	S	A
H	T	O	O	O	S	A	O	O	C	N	S	Q
M	R	N	J	B	L	I	N	R	H	D	I	V
S	O	A	A	Z	D	L	O	U	E	A	O	O
O	P	D	L	U	I	M	N	C	G	L	N	S
O	L	O	N	G	B	E	A	C	H	A	A	Y
U	E	Q	H	F	Q	S	S	L	U	Y	L	A
F	R	T	R	O	P	W	E	N	I	T	E	D
O	P	P	U	T	T	J	T	R	I	B	E	H
A	S	V	L	V	L	W	A	H	R	V	U	W

CARLSBAD
CORONADO
EL PORTO
IMPERIAL
LA JOLLA
LAGUNA
LONG BEACH
MALIBU
MANDALAY
MISSION
MOONLIGHT
NEWPORT
PACIFIC
POCHE
SAN ONOFRE
SEAL

No. 24 Ice Cream

W	L	T	Z	E	J	E	U	D	L	I	S	L
C	E	L	N	E	G	S	A	F	K	P	T	S
R	O	I	Z	F	I	D	Y	Z	P	G	R	O
J	P	M	T	F	C	I	U	E	Q	N	T	I
L	J	E	N	O	C	T	W	F	X	I	W	H
E	P	R	C	T	T	E	S	P	S	T	A	C
S	T	G	I	A	R	V	A	N	I	L	L	A
G	C	O	C	O	N	U	T	R	K	E	N	T
T	H	S	L	M	Y	A	F	B	X	M	U	S
N	E	G	S	E	K	A	L	F	D	S	T	I
B	R	T	U	R	M	E	N	I	L	A	R	P
R	R	U	N	U	C	O	F	F	E	E	T	F
E	Y	A	I	L	D	T	N	Z	E	K	E	T

CHERRY
COCONUT
COFFEE
CONE
FLAKE
FUDGE
LEMON
LIME
MELTING
PECAN
PISTACHIO
PRALINE
TOFFEE
TRUFFLE
VANILLA
WALNUT

No. 25 Moons

N	I	O	A	S	T	H	V	W	E	O	E	T
Q	E	R	E	M	T	P	R	T	V	Y	M	N
L	T	P	T	U	E	S	Y	H	T	E	T	I
E	W	J	Y	E	R	T	D	R	Q	A	I	F
S	C	H	I	D	P	O	I	E	V	R	D	H
Y	U	T	H	U	K	T	P	S	I	I	I	Q
A	D	I	A	R	O	D	N	A	P	M	P	S
I	R	T	E	N	O	I	D	I	A	H	O	R
N	I	A	S	S	I	R	A	L	O	N	A	S
U	O	N	L	I	U	A	I	E	B	E	H	T
T	A	E	H	E	U	A	B	H	O	B	E	Y
S	I	T	K	A	L	E	R	P	Z	J	U	H
A	A	A	Z	P	H	O	B	O	S	W	R	X

DEIMOS
DIONE
ELARA
EUROPA
HIMALIA
KALE
LARISSA
METIS
OPHELIA
PANDORA
PHOBOS
PHOEBE
TETHYS
THEBE
TITAN
TRITON

No. 26 Roman Emperors

T	N	V	A	T	S	A	K	I	C	P	H	N
A	Y	E	I	J	S	S	A	L	I	Z	A	A
S	P	E	R	T	I	N	A	X	S	K	D	I
A	A	T	W	O	E	U	H	G	G	I	R	T
C	R	J	H	G	D	L	A	A	Y	O	I	I
R	T	U	S	I	A	L	L	A	V	B	A	M
R	O	O	U	Q	B	L	U	I	E	R	N	O
R	L	S	D	A	U	G	G	R	U	L	E	D
P	L	Q	O	S	U	T	I	T	O	S	S	N
S	C	Y	M	P	P	U	L	A	O	H	L	T
A	E	E	M	A	S	N	A	J	A	R	T	O
I	C	G	O	T	T	A	C	I	T	U	S	O
R	E	C	C	O	Y	Z	W	A	S	S	U	W

CALIGULA
CLAUDIUS
COMMODUS
DOMITIAN
GALBA
GALLUS
HADRIAN
NERO
NERVA
OTHO
PERTINAX
TACITUS
TIBERIUS
TITUS
TRAJAN
VITELLIUS

No. 27 Judo

S	N	A	U	R	C	K	P	V	L	W	P	X
Y	R	I	M	A	T	A	T	A	F	B	E	N
J	E	T	R	K	A	T	B	T	B	L	S	O
O	U	G	R	O	V	R	L	R	R	A	R	O
A	B	D	A	A	D	E	A	O	E	Z	Z	I
F	E	T	G	N	B	N	Z	T	A	A	U	U
G	I	M	H	E	I	L	A	S	K	W	S	C
O	N	G	T	R	I	O	W	R	F	I	E	U
L	J	I	H	S	O	G	E	N	A	H	O	A
E	H	O	W	T	A	W	G	S	L	S	S	R
W	B	U	D	O	I	A	A	P	L	A	A	Q
B	U	A	X	P	B	N	N	O	P	P	I	I
T	R	A	I	N	I	N	G	H	V	R	O	G

ASHI-WAZA
BOWING
BREAKFALL
BUDO
DOJO
FIGHTING
HANE GOSHI
IPPON
JUDGE
NAGE-WAZA
RANDORI
SEOI NAGE
TATAMI
THROW
TRAINING
WHITE BELT

No. 28 Tying The Knot

B	O	B	R	S	P	Y	H	M	N	E	O	S
A	I	T	T	E	F	N	O	C	Q	X	D	Z
L	X	O	S	H	C	T	E	B	R	N	O	U
S	Z	I	E	C	U	E	W	R	E	U	T	E
U	Q	R	R	E	T	L	P	I	V	G	H	S
A	O	A	V	E	T	O	R	T	T	E	A	C
S	D	H	I	P	H	F	F	D	I	R	S	P
R	E	C	C	S	E	U	N	A	N	O	Y	H
E	X	D	E	X	C	I	T	E	M	E	N	T
H	U	R	E	R	A	E	B	G	N	I	R	V
T	T	Y	A	S	K	P	P	P	E	W	L	N
T	R	H	O	N	E	Y	M	O	O	N	R	Y
U	O	G	R	O	O	M	T	A	H	U	H	D

CHARIOT
CHURCH
CONFETTI
CUT THE CAKE
EXCITEMENT
FAMILY
FRIENDS
GROOM
HONEYMOON
NERVES
PAGE BOY
RECEPTION
RING BEARER
SERVICE
SPEECHES
TUXEDO

No. 29 Characters In The Simpsons

K	P	R	L	I	O	N	E	L	H	U	T	Z
A	Z	B	O	B	W	O	H	S	E	D	I	S
B	T	T	R	D	N	N	A	M	O	T	T	O
A	K	S	N	K	F	K	E	A	R	N	E	Y
R	R	C	X	U	D	L	R	E	A	O	S	S
T	J	D	I	R	M	O	A	U	W	A	V	U
S	L	I	R	J	R	N	L	N	S	O	L	T
I	T	E	I	H	C	O	O	P	D	T	T	S
M	S	M	I	T	H	E	R	S	H	E	Y	O
P	M	U	G	G	I	W	H	P	L	A	R	C
S	E	L	M	A	B	O	U	V	I	E	R	S
O	S	R	E	D	N	A	L	F	D	E	N	I
N	O	S	P	M	I	S	A	S	I	L	I	D

BART SIMPSON
DISCO STU
DOLPH
KEARNEY
KRUSTY
LIONEL HUTZ
LISA SIMPSON
NED FLANDERS
NELSON MUNTZ
OTTO MANN
POOCHIE
RALPH WIGGUM
ROD FLANDERS
SELMA BOUVIER
SIDESHOW BOB
SMITHERS

No. 30 Around Mexico

C	M	Z	B	W	A	A	A	F	W	J	T	G
U	S	T	T	I	J	U	A	N	A	F	M	E
X	L	A	A	A	D	I	R	E	M	T	J	X
U	Q	E	M	R	E	Y	N	O	S	A	U	U
H	D	M	P	E	R	U	R	U	A	P	A	N
R	T	K	I	V	X	E	E	B	L	Y	R	X
F	A	Z	C	T	L	I	S	W	T	S	E	R
N	J	V	O	I	D	A	C	O	I	P	Z	U
H	O	R	A	Q	K	A	L	A	L	A	L	A
E	B	E	M	T	N	U	E	T	L	N	J	P
A	Y	A	L	E	C	C	T	P	O	I	E	L
K	Y	D	X	A	L	B	E	U	P	S	E	U
A	H	V	I	L	T	G	I	T	O	H	D	D

CELAYA
JUAREZ
LEON
MAYA
MERIDA
MEXICALI
MORELIA
PESO

PUEBLA
REYNOSA
SALTILLO
SPANISH
TAMPICO
TIJUANA
TOLUCA
URUAPAN

No. 31 Netball

O	R	S	E	W	Q	S	F	K	T	H	P	I
G	O	A	L	A	T	T	A	C	K	S	C	G
K	N	E	R	S	R	L	R	A	I	E	S	U
Q	G	I	L	O	T	N	S	T	N	G	S	L
C	N	J	G	Z	L	T	S	T	B	N	A	F
L	I	U	A	N	H	L	R	A	J	I	P	E
E	T	I	R	R	U	E	I	G	N	D	T	E
A	O	T	O	Y	P	L	W	N	P	N	N	D
R	V	W	E	A	M	C	K	I	G	U	I	I
I	I	S	S	Y	T	M	T	W	O	O	E	S
N	P	S	T	O	S	S	U	P	S	B	F	F
G	S	C	A	L	L	A	B	D	A	E	D	F
F	N	E	B	E	N	D	I	N	G	R	T	O

BENDING
CENTRE PASS
CLEARING
DEAD-BALL
DUMMY RUN
FEED
FEINT PASS
GOAL ATTACK
LUNGING
OFFSIDE
PIVOTING
REBOUNDING
ROLLING OFF
THROW-IN
TOSS-UP
WING ATTACK

No. 32 Driving

X	G	R	M	A	N	U	A	L	Y	F	D	K
Y	T	E	I	D	E	I	L	A	T	C	S	T
I	R	N	R	S	L	I	T	N	D	E	R	S
I	F	G	R	H	S	E	P	G	R	Z	A	W
T	Y	I	O	A	S	P	S	I	S	N	I	J
S	H	N	R	T	E	C	E	S	S	A	P	L
W	H	E	E	L	A	G	N	E	O	R	A	C
T	R	A	O	K	L	I	A	F	D	N	P	N
J	D	O	O	R	F	S	L	I	N	J	U	O
V	H	V	O	G	Y	U	I	M	E	N	K	A
D	A	O	R	T	T	V	T	E	F	S	W	C
S	F	C	X	F	U	L	I	J	P	K	Y	C
S	C	Y	K	U	D	L	U	J	R	R	R	T

DOOR
ENGINE
FAIL
GEAR
LANES
LESSON
MANUAL
MIRROR
PASS
ROAD
ROOF
SIGNAL
SPEED
TEST
THEORY
WHEEL

No. 33 Personality Traits

T	N	E	D	I	F	N	O	C	O	L	D	A
N	S	G	N	I	M	R	A	H	C	U	Q	Y
A	F	R	I	E	N	D	L	Y	D	J	A	G
N	Q	O	S	U	R	T	I	V	E	H	T	R
I	R	U	R	T	W	G	S	M	C	V	L	R
M	N	W	I	G	C	D	E	F	I	L	S	K
O	J	E	K	E	I	R	N	T	S	T	E	L
D	D	T	R	S	T	V	S	G	I	F	T	K
M	V	S	T	H	E	H	I	E	V	C	R	T
I	U	A	H	R	N	A	T	N	E	A	Z	I
F	N	X	U	E	G	T	I	T	G	B	Z	C
T	M	R	A	W	A	Q	V	L	A	U	S	T
V	C	M	O	D	M	G	E	E	S	Z	W	M

CHARMING
COLD
CONFIDENT
DECISIVE
DISTANT
DOMINANT
ENERGETIC
FORGIVING
FRIENDLY
GENTLE
MAGNETIC
QUIET
SENSITIVE
SHREWD
TIMID
WARM

No. 34 The Killers

U	L	R	L	X	H	T	T	M	P	L	I	N
S	I	S	F	U	N	A	I	I	B	T	I	Z
U	W	P	M	R	W	H	R	O	N	N	V	U
L	E	A	I	E	O	N	O	D	N	A	R	B
A	N	C	G	G	T	T	C	T	T	P	A	P
S	Y	E	G	I	S	P	K	P	F	I	L	Y
V	D	M	N	T	M	M	B	M	S	U	O	I
E	G	A	D	N	A	Y	A	D	A	T	S	T
G	L	N	A	O	S	R	N	W	W	K	L	S
A	A	C	A	E	K	L	D	Q	D	S	S	L
S	R	O	N	N	I	E	T	J	U	A	A	N
R	B	O	H	W	M	Y	L	I	S	T	V	O
K	O	S	I	C	A	N	T	S	T	A	Y	E

BOOTS
BRANDON
DAVE
DAY AND AGE
HOT FUSS
HUMAN
I CAN'T STAY
LAS VEGAS
MARK
MY LIST
NEON TIGER
ROCK BAND
RONNIE
SAM'S TOWN
SAWDUST
SPACEMAN

No. 35 Moving House

L	R	E	P	A	I	R	I	N	G	X	L	Q
A	Y	T	U	D	P	M	A	T	S	G	T	O
A	F	G	G	P	A	R	P	R	U	N	F	M
O	F	B	N	A	O	Z	D	N	R	I	E	N
B	U	Z	I	I	Z	Y	R	B	V	L	E	R
M	U	T	Y	N	W	U	C	J	E	L	S	Y
G	O	Y	D	T	S	O	M	H	Y	E	G	W
X	N	R	I	I	V	R	R	P	A	S	G	X
S	W	I	T	N	M	T	L	R	I	I	S	U
A	T	K	D	G	G	O	C	O	O	N	N	M
F	S	N	I	N	A	H	P	S	Z	B	G	T
Q	E	N	K	N	E	G	N	I	K	C	A	P
P	A	R	S	S	F	M	E	A	T	L	A	S

BORROWING
BUYING
CHAIN
FEES
GAZUMPING
LOANS
MENDING
MORTGAGE
PACKING
PAINTING
REPAIRING
SEARCHES
SELLING
STAMP DUTY
SURVEY
TIDYING UP

No. 36 On The Tube

A	Q	S	T	B	O	R	O	U	G	H	N	P
B	E	F	A	S	C	L	U	U	O	B	I	I
R	R	T	L	R	Z	A	S	L	Y	M	U	U
K	C	E	A	L	C	V	B	T	L	M	P	T
R	R	O	N	G	I	O	H	I	E	A	M	P
A	O	A	R	T	R	H	C	F	Y	R	I	G
W	X	N	P	N	C	O	E	A	T	B	N	G
H	L	O	I	N	L	R	O	G	O	L	S	T
T	E	T	P	M	E	D	O	M	N	E	T	M
U	Y	X	O	I	L	E	J	S	Q	A	E	H
O	P	I	L	S	I	U	R	L	S	R	R	E
S	I	R	V	Z	N	R	T	G	G	C	H	G
M	T	B	R	L	E	J	T	S	Z	H	I	A

BOROUGH
BRENT CROSS
BRIXTON
CIRCLE LINE
CROXLEY
GRANGE HILL
GREEN PARK
HOLBORN
LEYTON
MARBLE ARCH
MOORGATE
OVAL
PIMLICO
RUISLIP
SOUTHWARK
UPMINSTER

No. 37 Vatican City

E	E	P	S	G	N	I	T	N	I	A	P	S
V	X	I	N	O	H	N	M	A	W	O	E	O
A	A	T	E	I	P	A	T	Q	P	D	T	V
L	A	N	D	L	O	C	K	E	D	O	A	E
C	M	F	R	N	Z	S	F	J	U	T	R	R
N	U	R	A	O	E	R	I	R	I	U	E	E
E	S	O	G	U	A	P	I	C	T	R	P	I
B	E	X	R	N	H	S	A	O	P	K	M	G
Y	U	O	C	T	T	N	A	A	S	E	E	N
O	M	I	R	S	H	O	S	Y	L	A	T	I
E	S	G	N	I	D	L	I	U	B	D	L	O
E	S	I	L	O	P	O	R	C	E	N	E	V
A	S	L	N	E	E	P	G	R	G	S	I	G

ENCLAVE
EURO
GARDENS
ITALY
LANDLOCKED
MUSEUMS
NECROPOLIS
OLD BUILDINGS
PAINTINGS
PIETA
POPE FRANCIS
ROME
SOVEREIGN
TEMPERATE
TOURISTS
VATICAN HILL

No. 38 Thinking Of Christmas

G	D	C	R	R	C	C	S	T	C	U	G	W
U	G	L	B	G	G	I	A	A	S	V	A	R
T	W	N	K	L	N	V	K	R	N	H	T	L
R	Q	T	H	G	I	E	L	S	O	Q	N	A
C	M	S	R	X	D	T	E	R	W	L	A	F
F	J	T	E	S	D	A	Z	E	M	C	S	H
A	R	N	T	T	U	R	P	E	A	C	I	T
C	Q	E	I	S	P	B	R	D	N	P	U	A
Q	N	S	N	W	G	E	Q	N	A	R	B	E
O	U	E	S	X	T	L	R	I	K	R	C	R
S	P	R	E	B	M	E	C	E	D	T	V	W
T	P	P	L	R	U	C	Y	R	E	C	E	W
S	G	T	T	P	T	K	T	G	E	R	Y	A

BLITZEN
CAKE
CAROLS
CELEBRATE
DECEMBER
PRESENTS
PUDDING
REINDEER
SANTA
SLEIGH
SNOWMAN
TINSEL
TREE
TURKEY
VIXEN
WREATH

No. 39 Children's Games

E	Q	G	P	L	C	U	L	I	B	O	E	S
A	O	U	B	A	L	H	L	I	E	E	P	K
I	Q	A	S	T	D	A	A	I	C	G	I	I
E	S	U	O	H	H	D	B	I	O	F	S	P
S	P	P	S	U	O	O	L	E	N	K	T	P
E	E	L	Y	M	P	C	E	E	G	T	W	I
R	N	E	A	B	S	T	N	E	B	D	A	N
C	V	A	S	W	C	O	N	G	D	A	O	G
L	L	P	N	A	O	R	U	C	O	L	L	D
T	B	F	O	R	T	Y	F	O	R	T	Y	L
M	E	R	M	B	C	O	N	K	E	R	S	O
R	A	O	I	R	H	O	T	L	A	V	A	U
T	L	G	S	A	R	D	I	N	E	S	N	P

CHAIN TAG
CONKERS
DOCTOR
DODGEBALL
FORTY FORTY
FUNNEL BALL
HOPSCOTCH
HOT LAVA
HOUSE
I SPY
LEAPFROG
PADDLE BALL
SARDINES
SIMON SAYS
SKIPPING
THUMB WAR

No. 40 Conservation Puzzle

Z	R	T	Z	S	L	D	M	E	K	C	W	P
T	U	N	M	S	I	N	A	G	R	O	S	U
B	R	S	O	S	K	R	T	E	M	N	N	X
F	A	M	C	I	E	R	C	V	E	T	A	N
I	O	A	A	S	T	Y	A	S	T	R	L	S
U	R	R	T	N	C	U	K	P	S	O	A	S
D	K	P	E	L	A	J	L	Q	Y	L	S	L
I	G	R	I	S	T	G	N	L	S	P	O	T
N	O	N	O	I	T	C	E	T	O	R	P	R
T	G	R	E	E	N	S	F	M	C	P	S	I
W	B	W	I	L	D	L	I	F	E	M	I	W
W	A	Z	Y	G	O	L	O	C	E	N	D	T
N	A	T	U	R	E	X	T	I	N	C	T	R

CONTROL
DISCARD
DISPOSAL
ECOLOGY
ECOSYSTEM
EXTINCT
FORESTS
GREEN
MANAGEMENT
NATURE
ORGANISM
PARKS
POLLUTION
PROTECTION
RECYCLING
WILDLIFE

No. 41 Arts And Crafts

N	F	D	S	N	E	P	A	O	A	U	W	C
J	J	D	T	P	S	M	O	E	R	D	Y	X
G	P	G	G	E	M	A	O	F	P	P	B	T
T	R	O	N	K	L	A	H	C	O	T	S	U
P	P	E	I	S	E	O	T	R	T	I	O	G
O	R	A	P	F	G	O	R	S	A	U	L	P
A	N	T	I	S	S	U	E	N	W	U	E	F
Z	L	O	P	N	M	U	L	I	E	O	R	R
L	N	T	B	H	T	F	P	U	N	O	P	P
M	R	U	B	B	E	R	A	Q	Z	K	O	S
S	Q	N	G	L	I	T	T	E	R	A	W	Q
E	D	I	T	O	P	R	S	S	F	E	A	S
O	H	P	B	X	H	P	A	A	H	R	Y	Y

CHALK
FELT
FOAM
FOIL
GLITTER
GLUE
INK
PAINT
PENS
PIPING
RIBBON
RUBBER
SEQUINS
STAMPS
STAPLER
TISSUE

No. 42 At The Airport

S	T	C	F	L	G	A	A	S	F	M	N	E
G	Z	S	P	D	F	L	I	G	H	T	L	U
M	L	E	K	N	O	T	U	L	N	R	K	R
L	W	K	C	I	W	T	A	G	D	M	M	S
P	E	S	T	E	K	C	I	T	G	E	T	Y
S	A	C	S	T	D	L	B	R	N	A	A	S
A	R	F	O	E	G	A	U	Y	I	L	G	Y
O	U	Q	L	N	N	N	T	J	D	X	G	E
X	G	A	S	U	O	I	I	R	R	J	A	R
O	Y	A	A	B	U	M	S	E	A	G	S	T
S	R	D	T	B	C	R	Y	U	O	V	T	R
S	I	G	S	E	U	E	U	Q	B	B	E	Y
M	U	T	H	E	A	T	H	R	O	W	I	L

BOARDING
BOEING
BUSINESS
DELAYS
ECONOMY
FLIGHT
GATE
GATWICK
HEATHROW
LUGGAGE
LUTON
QUEUES
TAXI
TERMINAL
TICKETS
TRAVEL

No. 43 Baseball

R	Z	Z	N	E	O	T	R	G	A	N	W	N
O	V	E	I	L	L	R	U	R	C	F	T	T
Y	S	R	A	L	L	E	C	O	O	H	V	X
I	J	T	T	F	N	U	W	U	R	C	K	S
N	B	E	P	R	G	U	L	N	Z	T	C	U
N	A	G	A	R	D	B	R	D	R	I	C	O
I	S	A	C	H	A	N	G	E	U	P	A	R
N	E	P	L	L	U	B	O	R	M	C	T	R
G	K	O	L	Y	W	L	E	M	L	O	C	I
S	F	D	E	Y	R	N	P	O	A	O	H	F
C	Z	S	Y	S	N	K	S	T	R	I	K	E
E	A	A	L	U	T	E	M	O	U	N	D	L
M	Y	H	R	V	R	I	F	S	S	E	J	L

BASE
BULLPEN
CAPTAIN
CATCH
CELLAR
CHANGE UP
CLOSER
DIAMOND
FOUL BALL
GROUNDER
HOME RUN
INNING
MOUND
PITCH
RUNNER
STRIKE

No. 44 South America

U	S	U	R	I	N	A	M	E	T	E	U	T
P	M	A	O	B	B	L	S	P	H	T	R	S
E	E	T	T	R	R	E	C	C	S	O	U	I
V	Q	R	A	A	O	U	I	O	Y	B	G	T
U	S	Z	U	S	D	Z	P	L	A	Z	U	S
L	I	F	Q	I	A	E	O	O	U	I	A	U
L	P	S	E	L	U	N	R	M	G	Y	Y	T
E	Z	H	P	I	C	E	T	B	A	L	P	W
F	X	Z	N	A	E	V	E	I	R	A	T	Z
V	G	U	Y	A	N	A	I	A	A	A	O	I
G	B	O	L	I	V	I	A	T	P	G	E	Z
H	L	B	L	V	E	D	S	W	D	E	O	R
D	A	U	L	L	S	A	C	H	I	L	E	F

BOLIVIA
BRASILIA
BRAZIL
CHILE
COLOMBIA
ECUADOR
EQUATOR
GUYANA
PARAGUAY
PERU
SANTIAGO
SPANISH
SURINAME
TROPICS
URUGUAY
VENEZUELA

No. 45 Crisp Flavours

I	Z	R	K	F	T	B	U	S	F	O	P	N
T	F	O	D	W	P	T	I	K	F	O	E	Z
S	C	O	I	O	T	A	M	O	T	F	E	S
C	H	E	E	S	E	L	P	X	D	T	L	P
A	I	I	M	A	E	R	C	R	U	O	S	S
M	L	U	R	Y	M	A	R	M	I	T	E	R
P	L	O	V	R	M	R	S	R	E	K	T	L
I	I	N	O	G	A	R	R	A	T	H	A	U
P	X	Q	S	B	T	W	K	D	L	B	S	M
B	R	T	T	O	Q	A	C	D	Z	T	L	L
O	M	A	P	U	H	C	T	E	K	A	A	I
T	R	P	W	G	E	V	I	H	C	L	S	A
A	A	Y	E	N	T	U	H	C	D	T	A	T

CHEDDAR
CHEESE
CHILLI
CHIVE
CHUTNEY
KETCHUP
MARMITE
PAPRIKA
PRAWN
SALSA
SCAMPI
SEA SALT
SOUR CREAM
STEAK
TARRAGON
TOMATO

No. 46 Languages

C	S	H	A	T	T	H	P	O	U	I	T	F
R	P	S	Y	N	E	S	C	L	M	U	Z	L
B	R	I	T	A	L	I	A	N	H	X	D	H
K	D	L	U	I	U	L	H	B	E	X	D	D
S	Z	O	R	S	G	G	N	T	U	R	D	U
Z	S	P	K	S	U	N	E	J	A	R	F	K
W	D	Z	I	U	L	E	W	R	W	R	O	B
A	C	L	S	R	Z	I	P	P	M	R	A	Y
L	T	S	H	Z	H	B	M	W	E	A	H	M
S	W	L	F	I	A	I	E	A	S	R	N	G
Q	G	U	F	S	G	S	N	K	T	H	A	I
X	Z	A	S	Y	R	K	A	D	S	I	Z	A
G	E	E	I	O	C	M	D	T	I	F	E	N

ENGLISH
FRENCH
GERMAN
HINDI
ITALIAN
KOREAN
MARATHI
POLISH
RUSSIAN
TAMIL
TELUGU
THAI
TURKISH
URDU
UZBEK
YORUBA

No. 47 At The Fairground

G	D	O	D	G	E	M	S	H	O	W	S	H
R	E	I	V	T	W	I	S	T	E	R	Y	S
A	E	M	W	G	H	O	O	P	L	A	H	L
V	S	B	U	M	P	E	R	C	A	R	S	K
I	U	W	M	L	U	R	W	F	N	C	T	R
T	O	J	R	O	F	I	I	H	A	Y	U	T
R	H	S	S	H	B	G	T	R	I	W	N	H
O	N	B	T	T	W	E	O	T	A	P	O	S
N	U	N	Q	J	A	U	V	L	W	S	C	M
M	F	X	E	C	S	E	T	I	O	P	O	P
B	A	L	U	E	F	Z	R	Y	D	F	C	Q
H	I	P	L	L	E	B	O	T	R	A	P	S
S	S	T	S	R	O	R	R	I	M	W	A	S

BUMPER CARS
CAROUSEL
COCONUT SHY
DIVE BOMBER
DODGEMS
FUNHOUSE
GRAVITRON
HOOPLA
LOG FLUME
MIRRORS
SHOWS
TEACUPS
THE WHIP
TREATS
TWISTER
WALTZER

No. 48 Beliefs And Religions

S	F	Q	K	U	M	R	P	Q	G	C	B	L
D	L	J	S	R	O	S	I	U	A	F	C	B
G	J	A	E	S	I	P	I	T	P	D	U	J
T	U	I	C	P	I	R	H	U	R	D	O	U
B	D	N	B	I	S	O	N	U	D	Y	Y	S
A	A	I	E	R	L	T	Z	H	S	N	K	I
U	I	S	H	I	A	E	I	K	R	A	I	K
R	S	M	C	T	M	S	G	N	E	Y	R	H
T	M	T	U	I	M	T	T	N	K	X	N	I
M	L	C	J	S	I	A	D	O	A	C	E	S
F	R	N	J	M	A	N	X	U	U	V	T	M
B	A	S	H	I	N	T	O	L	Q	I	E	A
Q	U	I	T	O	S	Z	A	T	P	I	X	G

BUDDHISM
CAO DAI
CATHOLIC
DRUZE
EVANGELICAL
HINDUISM
ISLAM
JAINISM
JUCHE
JUDAISM
PROTESTANT
QUAKERS
SHINTO
SIKHISM
SPIRITISM
TENRIKYO

No. 49 Egyptian Gods

S	S	K	F	S	T	A	S	H	A	X	A	T
A	U	W	H	T	T	J	P	J	L	A	A	G
D	R	E	R	N	S	T	S	P	W	N	T	R
K	A	M	U	N	U	F	C	B	K	H	R	O
Z	N	E	H	E	M	M	H	W	A	J	S	F
L	S	L	N	J	Z	N	V	Z	M	I	N	Y
N	I	P	A	H	E	R	J	E	L	Z	A	E
S	P	S	I	P	H	T	U	I	O	P	R	U
I	U	B	E	Q	S	Z	B	M	I	U	E	H
X	T	R	R	K	E	B	O	S	E	T	I	A
Q	N	E	E	M	E	R	A	U	H	I	E	B
H	O	R	U	S	L	R	I	D	Q	A	V	L
I	M	S	E	T	E	U	S	P	Z	Y	I	R

AMUN
ANHUR
APIS
HAPI
HORUS
IMSET
KHNUM
MEHEN
MONTU
NEPER
QEBUI
REM
SEKER
SHAI
SHEZMU
SOBEK

No. 50 Media Terms

V	M	E	S	W	E	I	V	R	E	T	N	I
V	I	U	N	O	I	S	I	V	E	L	E	T
A	I	N	I	I	R	L	A	C	S	C	E	N
S	A	D	E	D	L	P	H	O	I	A	V	C
X	P	R	E	S	E	N	T	E	R	M	I	A
U	A	G	S	O	O	M	O	R	J	E	T	I
L	E	N	I	L	F	F	O	B	U	R	A	V
P	Z	I	O	K	S	C	I	H	P	A	R	G
X	A	G	O	D	I	N	D	U	S	T	R	Y
D	Y	G	E	A	I	D	E	M	S	S	A	M
E	S	O	S	N	T	E	N	R	E	T	N	I
D	X	L	L	S	R	C	L	U	K	R	S	Z
H	O	B	G	S	K	E	R	R	U	P	T	W

BLOGGING
CAMERA
GENRE
GRAPHICS
INDUSTRY
INTERNET
INTERVIEWS
MASS MEDIA
MEDIUM
NARRATIVE
OFFLINE
ONLINE
PRESENTER
TECHNOLOGY
TELEVISION
VIDEO

No. 51 Currencies Past And Present

A	A	B	I	X	M	U	I	T	A	P	A	V
M	O	S	L	I	R	P	P	W	L	N	P	I
I	A	G	U	N	X	P	T	H	I	O	G	H
M	A	G	D	C	N	A	R	F	P	P	B	J
R	C	U	N	A	R	Z	E	T	S	U	U	S
R	Z	L	U	E	S	N	D	B	D	C	V	D
R	C	D	O	L	L	A	R	J	I	A	P	A
I	S	E	P	Z	A	W	U	V	M	R	S	A
L	T	N	D	E	T	K	O	Y	E	X	R	T
K	K	A	I	I	S	U	G	E	I	C	H	R
U	O	R	U	E	P	O	T	E	V	L	A	D
S	P	W	R	N	Z	B	B	S	T	A	D	D
F	U	T	R	S	R	P	X	A	I	T	P	Q

BIRR
BUDJU
CEDI
CUPON
DENAR
DIME
DOLLAR
EURO
FRANC
GOURDE
GULDEN
INCA
KWANZA
LATS
PESO
POUND

No. 52 Psychology

A	A	D	P	I	P	D	M	F	O	P	S	E
E	A	T	T	H	E	O	R	I	E	S	N	Q
M	C	B	O	C	I	N	Y	X	N	L	O	Q
M	Z	B	V	A	X	O	N	A	C	D	I	S
C	I	U	B	S	M	L	S	T	R	I	T	C
A	L	A	E	E	V	I	T	I	N	G	O	C
I	E	O	M	S	H	E	G	O	U	P	M	Y
D	F	O	S	T	U	A	U	N	I	A	E	S
W	R	X	R	U	A	S	V	N	N	Q	A	S
Y	E	O	E	D	R	B	G	I	C	I	C	R
I	U	N	R	Y	I	E	V	R	O	X	T	J
O	D	E	T	C	E	R	E	B	R	U	M	D
R	M	E	W	R	I	B	R	N	I	A	R	B

AXON
BEHAVIOUR
BRAIN
CASE STUDY
CEREBRUM
CLOSURE
COGNITIVE
COPING
EGO
EMOTION
FIXATION
FREUD
MEMORY
MIND
PHOBIA
THEORIES

No. 53 Flowery Puzzle

D	T	Z	R	A	E	P	W	O	R	R	A	Y
V	Y	D	P	I	L	X	O	M	H	H	L	R
S	R	L	M	U	I	C	A	R	E	I	H	E
A	T	O	W	F	C	R	L	I	L	A	C	W
A	L	G	L	R	J	R	L	R	P	Z	I	O
H	D	I	G	O	L	D	E	N	R	O	D	L
E	Y	R	R	G	G	T	E	T	L	G	T	F
W	H	A	P	C	A	R	N	A	T	I	O	N
W	M	M	C	W	O	R	U	A	R	U	V	U
A	A	I	A	I	F	W	M	F	O	P	B	S
T	R	F	E	P	N	I	P	U	L	A	N	I
R	R	M	Q	R	L	T	O	E	O	M	G	R
W	R	E	H	T	A	E	H	J	V	L	V	I

BUTTERCUP
CARNATION
GOLDENROD
HEATHER
HIERACIUM
HYACINTH
IRIS
LILAC
LUPIN
MAPLE
MARIGOLD
MARJORAM
OXLIP
SUNFLOWER
WATER LILY
YARROW

No. 54 The Colour Purple

T	Y	S	N	A	P	G	F	G	W	C	X	R
S	A	F	A	N	D	A	N	G	O	U	Y	P
V	V	A	I	R	E	T	S	I	W	P	P	P
W	I	W	M	A	G	E	N	T	A	X	B	V
O	H	T	P	T	C	I	R	T	C	E	L	E
B	M	L	A	V	E	N	D	E	R	H	L	R
S	U	T	M	U	L	B	E	R	R	Y	A	O
M	V	H	C	R	A	I	R	T	A	P	T	N
H	Q	I	R	M	S	L	B	Y	P	M	J	I
O	R	S	O	R	C	H	I	D	T	J	A	C
R	S	T	Y	L	V	Z	U	S	N	E	D	A
S	T	L	A	D	E	T	Z	L	A	C	E	S
T	R	E	L	R	B	T	C	C	R	R	G	T

ELECTRIC
FANDANGO
HAN
LAVENDER
MAGENTA
MARDI GRAS
MULBERRY
ORCHID
PANSY
PATRIARCH
PLUM
ROYAL
THISTLE
VERONICA
VIOLET
WISTERIA

No. 55 In The Scouts

G	S	L	R	G	U	S	T	G	T	E	S	O
O	T	Q	Q	W	N	T	F	C	A	E	G	Q
Q	N	L	E	P	Y	I	E	Y	R	T	A	E
V	E	S	I	M	O	R	P	A	T	R	O	L
F	T	A	L	T	E	O	S	M	X	Q	T	C
M	I	V	B	M	M	C	R	T	A	R	E	P
E	E	R	O	B	M	A	J	T	O	C	L	L
E	A	N	S	R	E	R	U	T	A	N	A	L
T	Y	O	U	T	D	O	O	R	S	P	K	A
I	K	E	Q	A	A	L	Z	F	W	W	E	T
N	J	X	S	L	L	I	K	S	I	A	U	Q
G	N	I	K	I	H	I	D	Y	S	N	T	N
S	R	E	D	A	E	L	Z	C	N	W	U	D

CAMPING
CEREMONY
FIRST AID
HIKING
JAMBOREE
KNOTS
LEADERS
MEETINGS
NATURE
OUTDOORS
PATROL
PROMISE
SKILLS
TENTS
TROOP
UNIFORM

No. 56 In The Pond

C	L	A	G	T	O	T	J	W	N	Z	F	D
T	E	A	Y	Y	O	E	P	K	Y	A	A	X
I	T	P	T	F	A	T	L	L	C	G	R	T
E	A	V	R	A	L	T	W	O	A	P	R	X
G	B	S	M	X	I	O	V	Q	P	N	E	E
F	T	S	P	O	N	D	W	E	E	D	T	T
T	U	A	G	N	S	S	U	E	N	U	A	S
M	D	S	I	S	E	Q	I	M	R	U	W	T
U	T	M	J	T	C	A	U	T	M	S	P	W
I	V	Y	K	T	T	L	L	I	N	F	Y	E
R	L	C	Q	R	S	E	I	A	T	R	R	N
G	T	M	Q	R	S	S	I	L	T	O	A	D
T	R	A	Q	J	U	V	H	T	Y	G	Q	G

FLOWERS
FROG
INSECTS
LARVAE
LILY
MINNOW
MOSQUITO
MUD
NEWT
PLANTS
PONDWEED
SILT
TADPOLE
TOAD
TURTLE
WATER

No. 57 Tasty Food

M	E	N	O	S	E	A	S	D	R	U	E	E
O	R	C	T	L	Z	E	C	P	A	T	L	Z
D	U	T	A	L	I	R	A	H	V	E	O	Z
N	U	O	W	E	T	S	F	E	E	B	R	R
L	I	S	E	O	T	A	T	O	P	E	E	B
S	O	N	M	A	E	R	C	E	C	I	S	R
L	O	R	O	C	H	O	T	D	O	G	S	E
R	T	D	J	R	G	M	P	S	A	L	A	D
C	A	K	E	T	A	L	O	C	O	H	C	L
T	R	A	L	O	P	C	Y	P	T	L	C	A
P	F	B	L	A	S	R	A	V	I	O	L	I
T	X	T	Y	S	L	L	U	M	O	O	J	L
F	N	M	A	T	T	Y	V	R	B	G	T	Z

BEEF STEW
BREAD
CAKE
CASSEROLE
CHEESE
CHOCOLATE
HOT DOGS
ICE CREAM
JELLY
MACARONI
PASTA
POTATOES
RAVIOLI
SALAD
SPAGHETTI
TOAST

No. 58 Knitting

N	E	E	D	L	E	S	O	R	J	E	S	Z
Q	V	S	T	O	N	K	P	I	L	S	C	U
R	Y	A	R	N	P	P	U	R	L	A	X	T
I	G	A	U	G	E	I	A	W	S	E	Y	R
T	T	S	O	T	A	S	O	T	A	R	U	S
M	B	O	N	A	K	T	O	K	T	C	A	Y
Q	S	L	L	I	G	N	I	K	E	E	T	S
S	S	N	P	L	A	N	A	L	O	D	R	I
E	U	U	R	S	O	H	I	N	U	O	R	N
L	H	T	A	B	D	O	C	B	T	F	H	L
H	K	L	O	B	L	R	W	N	B	L	I	C
Y	R	R	S	V	K	J	E	A	H	I	O	K
S	O	O	L	A	S	T	E	H	C	O	R	C

CAST ON
CHAIN
CROCHET
DECREASE
GAUGE
HOOK
LONG TAIL
NEEDLES
PATTERN
PURL
RIBBING
SKIP
SLIP KNOT
STEEKING
WOOL
YARN

No. 59 Cricket

S	G	O	L	S	T	F	B	P	J	L	S	F
J	P	F	N	K	W	O	A	S	B	L	T	U
T	L	N	W	I	U	I	O	E	E	A	A	B
Z	Q	P	I	N	N	I	N	G	S	B	I	D
Y	O	C	C	T	B	T	B	G	A	D	C	L
Q	P	E	K	H	I	R	M	T	R	A	I	F
E	R	N	E	E	E	S	N	Z	T	E	T	D
L	E	T	T	A	F	G	T	C	X	D	I	O
A	N	U	K	S	A	U	H	A	E	E	L	X
T	N	R	T	H	C	L	U	F	T	A	R	J
L	I	Y	R	E	D	L	E	I	F	E	P	U
K	P	A	Z	S	I	Y	K	L	O	A	H	R
M	S	D	A	P	R	S	I	P	A	P	T	T

BAIL
BOUNCER
CATCH
CENTURY
DEAD BALL
EXTRA
FIELDER
GULLY
INNINGS
LEG BREAK
PADS
SLOG
SPINNER
SWING
THE ASHES
WICKET

No. 60 London Theatres

D	Q	S	S	D	E	L	I	X	M	A	Y	P
R	Q	N	E	M	U	E	C	Y	L	L	P	E
O	S	W	H	G	T	G	L	T	T	Y	G	O
A	N	R	Y	F	D	N	L	O	Q	R	A	E
P	E	O	U	N	O	I	R	E	T	I	R	C
O	E	X	I	V	D	R	R	A	I	C	R	A
L	U	N	E	N	A	H	T	B	J	G	I	L
L	Q	L	O	Q	I	E	A	U	M	S	C	A
O	L	D	V	I	C	M	Y	M	N	A	K	P
O	L	P	L	A	Y	H	O	U	S	E	C	B
I	P	K	A	X	M	A	V	D	E	L	P	O
E	N	L	I	K	G	T	A	T	Z	A	Y	I
F	P	W	W	G	L	A	S	Y	R	S	R	M

APOLLO
CAMBRIDGE
CRITERION
DOMINION
FORTUNE
GARRICK
GIELGUD
LYCEUM
LYRIC
NOVELLO
OLD VIC
PALACE
PLAYHOUSE
QUEEN'S
SAVOY
WYNDHAM'S

No. 61 Bike Racing

P	A	H	O	E	A	Z	U	D	S	K	T	N
H	E	T	H	A	W	P	V	N	K	C	U	I
Q	D	J	K	S	P	E	E	D	W	A	Y	R
O	I	G	P	P	S	R	L	L	U	P	A	I
H	M	N	Y	R	P	R	O	L	O	G	U	E
X	A	A	E	I	S	S	D	G	E	T	N	K
C	D	G	C	N	Z	T	R	A	Q	N	O	L
D	I	N	N	T	Q	O	O	I	K	H	L	N
L	S	I	E	E	T	D	M	R	S	O	E	O
R	O	A	D	R	A	C	E	N	I	W	H	T
X	N	H	A	Y	S	Q	F	A	I	D	C	C
J	P	C	C	H	I	C	A	N	E	U	E	T
S	K	A	Y	S	F	S	T	I	O	S	M	R

CADENCE
CHAIN GANG
CHICANE
ECHELON
KEIRIN
MADISON
OMNIUM
PACK
PELOTON
PROLOGUE
RIDER
ROAD RACE
SPEEDWAY
SPRINTER
TRACK
VELODROME

No. 62 Brass Instruments

O	N	N	E	E	I	K	E	F	E	F	I	T
T	O	R	R	N	O	C	I	L	E	H	R	E
R	I	O	O	O	O	D	E	L	G	U	B	N
O	R	H	R	H	H	H	M	F	M	J	W	R
M	A	X	T	P	O	L	P	P	X	U	T	O
B	L	A	U	A	I	L	E	O	X	R	Y	C
O	C	S	C	S	E	T	H	G	Z	K	P	S
N	A	A	B	U	T	V	Q	U	U	Z	E	S
E	U	P	H	O	N	I	U	M	K	L	A	I
C	L	O	S	S	A	B	M	I	C	D	F	J
K	A	K	A	K	I	H	K	T	S	G	Q	E
Q	C	G	N	I	L	G	N	A	K	A	Q	I
U	T	U	A	E	V	R	M	V	P	A	I	L

BUGLE
CIMBASSO
CLARION
CORNET
EUPHONIUM
FLUGELHORN
HELICON
JAZZOPHONE
KAKAKI
KANGLING
KUHLOHORN
SAXHORN
SOUSAPHONE
TROMBONE
TRUMPET
TUBA

No. 63 Writing A Novel

I	O	S	F	A	N	T	A	S	Y	E	O	C
S	F	I	R	K	R	O	W	D	R	A	H	O
E	K	A	D	G	N	L	I	A	S	A	O	N
C	A	M	B	S	C	P	O	T	R	K	M	C
T	B	V	U	E	R	H	O	A	C	A	V	E
O	I	I	I	U	S	R	C	S	N	I	D	P
U	O	E	T	S	Y	T	U	U	T	A	F	T
M	G	W	O	R	E	H	S	D	R	O	W	G
R	R	P	P	R	E	C	I	E	I	H	R	R
K	A	O	S	E	R	O	R	O	L	S	T	J
Z	P	I	V	I	L	L	A	I	N	L	U	U
Q	H	N	P	D	I	A	L	O	G	U	E	W
S	Y	T	I	V	I	T	A	E	R	C	U	R

BESTSELLER
BIOGRAPHY
CHARACTERS
CONCEPT
CREATIVITY
DIALOGUE
FANTASY
FICTION
HARD WORK
HERO
MANUSCRIPT
PLOT
STORY
VIEWPOINT
VILLAIN
WORDS

No. 64 Cities Of Uruguay

N	K	S	G	C	T	G	T	G	T	S	M	A
A	V	M	K	L	A	K	O	K	E	O	V	R
P	Z	A	P	A	I	N	A	D	N	L	K	A
Q	T	L	R	S	I	R	E	T	N	R	S	J
H	Y	D	X	P	T	C	E	L	I	A	U	Q
R	T	O	L	I	R	V	Y	V	O	C	P	Y
D	S	N	G	E	I	O	E	J	A	N	C	N
M	W	A	M	D	T	R	G	V	S	A	E	I
R	S	D	E	R	A	O	Z	R	R	S	U	S
I	A	O	S	A	N	I	M	M	E	T	L	I
O	L	L	X	S	I	O	E	O	Z	S	T	A
A	T	S	A	D	O	L	O	R	E	S	O	Y
I	O	S	R	T	O	N	Z	A	R	U	D	V

ARTIGAS
CANELONES
CARMELO
DOLORES
DURAZNO
LAS PIEDRAS
MALDONADO
MERCEDES
MINAS
MONTEVIDEO
PANDO
PROGRESO
RIVERA
SALTO
SAN CARLOS
TALA

No. 65 Genres Of Music

T	F	R	H	R	U	U	S	G	U	N	L	Z
T	T	Q	Y	R	I	G	R	U	O	T	P	R
X	J	U	T	O	O	D	Q	J	E	J	P	R
S	I	S	U	Z	H	A	E	C	U	Y	R	W
W	D	R	U	W	I	M	R	R	R	A	H	P
E	H	A	U	A	D	A	E	I	D	N	I	C
F	O	L	K	U	L	O	G	T	D	T	C	T
T	U	F	G	S	C	L	G	J	A	Z	Z	Q
O	S	B	U	P	R	R	A	M	N	L	U	J
R	E	E	O	N	U	R	E	M	C	E	Q	S
R	M	P	U	N	K	C	O	R	E	U	T	V
O	L	U	G	L	S	O	A	A	T	M	E	V
O	R	E	L	O	B	N	S	P	A	P	L	P

BLUES
BOLERO
DANCE
EMO
FOLK
FUNK
GRUNGE
HOUSE
INDIE
JAZZ
METAL
POP
PUNK
RAP
REGGAE
ROCK

No. 66 In Space

P	C	I	S	R	O	E	T	E	M	X	P	M
H	H	K	E	R	U	D	R	T	R	U	O	Z
I	X	X	I	X	A	T	B	G	L	O	S	O
S	S	O	X	A	B	S	L	S	R	N	F	X
R	T	D	A	R	K	M	A	T	T	E	R	X
A	N	N	L	A	T	R	C	U	J	B	A	U
T	E	U	A	U	S	L	K	L	Q	U	W	U
S	M	S	G	I	O	A	H	M	I	L	D	I
O	A	E	U	U	G	N	O	O	M	A	D	H
T	L	H	D	A	F	D	L	W	R	J	E	H
O	I	T	W	H	I	T	E	D	W	A	R	F
R	F	C	O	M	E	T	S	R	S	K	I	S
P	C	M	W	V	R	S	L	Y	L	E	W	K

BLACK HOLES
COMETS
DARK MATTER
FILAMENTS
GALAXIES
METEORS
MOON
NEBULA
OORT CLOUD
PROTOSTARS
PULSARS
QUASARS
RED DWARFS
RED GIANTS
THE SUN
WHITE DWARF

No. 67 Cocktails

C	F	G	O	L	F	I	N	I	T	R	A	M
A	T	O	S	C	U	G	P	D	S	P	A	O
P	R	S	U	A	Y	L	F	E	R	I	F	P
R	J	C	L	R	U	M	F	V	T	S	F	G
I	O	M	P	I	S	P	R	A	O	C	R	U
R	U	U	O	B	M	C	I	R	T	O	O	L
I	N	D	K	O	S	E	O	N	B	L	S	G
U	X	S	O	U	O	H	R	R	K	A	T	M
Q	O	L	L	L	H	O	O	I	E	G	B	O
I	S	I	O	O	C	Y	J	T	C	P	I	N
A	G	D	M	U	N	D	R	C	P	K	T	N
D	O	E	K	A	U	Q	H	T	R	A	E	Q
E	L	A	M	K	P	S	P	N	T	E	U	Y

CAPRI
CARIBOU LOU
DAIQUIRI
EARTHQUAKE
FIREFLY
FOUR SCORE
FROSTBITE
LIME RICKEY
MAI-TAI
MARTINI
MOLOKO PLUS
MUDSLIDE
PINK GIN
PISCOLA
PUNCH
ROB ROY

No. 68 Around Europe

F	A	Y	L	A	T	I	S	P	K	I	Z	P
R	R	X	P	O	T	T	R	H	J	I	L	A
G	N	A	K	N	N	Y	O	R	C	I	Q	B
W	R	Z	N	G	S	D	O	G	R	J	Z	Z
B	V	E	N	C	W	M	O	E	O	Q	Y	E
C	O	F	E	S	E	T	Q	N	I	A	P	S
N	K	U	W	C	D	U	F	E	L	S	N	D
A	P	I	A	W	E	I	G	V	U	I	R	R
L	O	I	S	E	N	V	S	A	J	R	E	Q
U	L	A	R	L	B	T	S	R	R	A	T	R
A	A	Y	A	W	R	O	N	R	R	P	N	K
B	N	N	W	E	S	M	U	N	I	C	H	R
Z	D	N	A	L	G	N	E	Q	S	U	A	J

ENGLAND
FINLAND
FRANCE
GENEVA
GREECE
ITALY
LONDON
MUNICH
NORWAY
PARIS
POLAND
PRAGUE
ROME
SPAIN
SWEDEN
WARSAW

No. 69 Geometry

E	O	D	A	O	A	P	I	G	C	M	T	U
I	D	S	I	R	D	S	S	A	P	M	O	C
I	R	U	E	A	I	L	R	B	G	K	H	C
T	G	A	T	L	M	T	H	R	X	O	Z	O
G	U	L	O	I	E	E	X	A	R	R	T	N
L	O	C	U	S	N	C	T	D	P	O	N	G
R	A	D	I	U	S	G	S	E	U	T	U	R
N	T	A	M	O	I	T	A	O	R	A	S	U
R	N	L	R	A	O	G	W	M	S	T	Z	E
A	Z	T	R	A	N	S	L	A	T	I	O	N
R	O	T	C	E	S	I	B	N	R	O	X	T
P	A	R	A	L	L	E	L	Z	T	N	H	A
Z	A	B	C	A	S	T	O	C	T	R	I	O

AREA
AXIS
BISECTOR
CARTESIAN
CHORD
COMPASS
CONGRUENT
DIAMETER
DIMENSIONS
ISOSCELES
LOCUS
MAGNITUDE
PARALLEL
RADIUS
ROTATION
TRANSLATION

No. 70 Reading The Newspaper

Y	C	K	C	P	F	E	F	A	M	K	L	Z
N	O	O	T	R	A	C	N	R	D	L	A	O
P	N	E	W	S	P	R	I	N	T	E	T	U
C	O	V	E	R	I	R	J	X	U	G	X	Q
S	P	K	K	E	E	N	L	G	I	A	R	T
C	T	P	Q	T	I	P	M	R	E	P	O	Q
O	S	A	O	T	S	X	O	U	I	T	E	S
M	P	O	B	E	A	P	P	R	L	N	C	B
I	O	B	S	L	E	A	D	S	T	O	R	Y
C	R	A	D	R	O	W	S	S	O	R	C	L
S	T	R	E	S	N	I	X	P	J	F	X	I
C	J	I	P	O	K	N	D	I	Y	L	P	N
L	A	S	R	I	F	P	R	O	T	I	D	E

BYLINE
CARTOON
COLUMNIST
COMICS
COVER
CROSSWORD
EDITOR
FRONT PAGE
INSERTS
LEAD STORY
LETTERS
NEWSPRINT
REPORT
SCOOP
SPORT
TABLOID

No. 71 On The Map

R	Y	F	K	V	M	S	S	I	G	E	H	L
K	H	O	H	C	R	U	H	C	O	K	L	T
L	O	O	H	C	S	F	E	O	A	A	O	R
T	R	T	O	I	L	E	T	S	T	L	S	L
Y	M	P	Z	Z	S	A	J	X	U	E	E	P
A	L	A	T	I	P	S	O	H	T	M	L	Z
W	G	T	I	Y	R	Z	O	D	S	U	E	V
R	N	H	G	N	I	K	R	A	P	N	W	Y
O	Z	N	Q	V	R	A	I	L	W	A	Y	S
T	E	L	E	P	H	O	N	E	G	H	W	O
O	E	T	I	S	P	M	A	C	H	X	Y	L
M	W	E	A	E	B	O	R	D	E	R	S	T
S	I	I	E	H	U	Q	M	T	R	M	N	R

BORDERS
CAMPSITE
CHURCH
FOOTPATH
HOSPITAL
HOTEL
LAKE
MAIN ROAD
MOTORWAY
MUSEUM
PARKING
RAILWAY
SCALE
SCHOOL
TELEPHONE
TOILETS

No. 72 Around Croatia

J	I	D	Z	G	D	O	Y	S	W	A	D	G
T	U	O	S	R	P	U	R	R	T	J	Z	K
U	G	Z	A	G	R	E	B	I	A	Z	U	F
K	W	D	E	T	R	S	T	Z	J	T	P	T
C	A	G	B	I	T	Y	S	R	I	E	U	G
Z	L	C	K	S	S	S	J	N	I	S	K	S
A	U	X	P	O	L	I	A	L	C	N	E	A
U	P	L	K	L	O	A	S	M	V	R	J	M
D	I	J	S	I	L	T	T	A	O	H	I	A
T	O	L	J	N	X	Q	Q	I	K	B	S	S
M	A	I	I	O	G	U	L	I	N	R	O	S
U	C	S	N	A	F	U	S	H	I	A	E	R
B	U	E	C	E	V	O	B	R	V	T	H	E

KUTINA
OGULIN
OSIJEK
PETRINJA
PULA
RIJEKA
SAMOBOR
SINJ
SISAK
SLATINA
SOLIN
SPLIT
VINKOVCI
VRBOVEC
ZADAR
ZAGREB

No. 73 In Agreement

O	X	A	E	E	U	A	R	M	T	E	I	J
J	J	C	T	P	F	Z	S	B	N	E	R	L
T	R	C	H	F	F	R	A	U	E	S	S	S
P	I	O	I	P	T	U	F	Y	S	G	B	T
O	L	R	N	T	J	C	A	I	N	F	R	H
D	M	D	K	T	R	N	L	N	O	E	M	S
A	A	F	T	E	T	O	X	T	C	N	R	B
K	R	M	H	B	V	C	P	O	D	D	I	L
F	U	C	E	T	S	O	G	P	S	O	F	Z
N	C	J	S	S	U	N	R	W	U	R	N	I
Q	B	R	A	T	I	F	Y	P	V	S	O	T
X	L	U	M	S	Y	R	E	S	P	E	C	T
V	A	A	E	N	O	S	A	E	B	A	P	A

ACCORD
ADOPT
AFFIRM
APPROVE
BE AS ONE
BUY INTO
CONCUR
CONFIRM
CONSENT
ENDORSE
RATIFY
RECOGNISE
RESPECT
SUPPORT
THINK THE SAME
UPHOLD

No. 74 Florence

I	P	P	I	Z	I	F	F	U	F	L	O	N
R	S	G	I	O	T	T	O	S	H	O	L	W
E	M	E	D	I	C	I	F	A	M	I	L	Y
N	C	S	O	E	U	V	I	N	Y	H	E	E
A	O	A	O	Z	A	P	W	M	P	C	A	Q
I	L	N	L	D	N	L	E	A	L	C	F	K
S	L	T	R	A	N	E	C	R	L	E	F	E
S	E	A	U	A	P	O	R	C	S	V	A	W
A	G	C	P	S	R	I	T	O	G	E	R	T
N	R	R	G	E	C	T	T	I	L	T	U	X
C	A	O	U	S	V	A	L	T	N	N	H	S
E	B	C	H	O	P	S	N	O	I	O	A	A
T	H	E	D	U	O	M	O	Y	H	P	D	S

BARGELLO
DONI TONDO
GIOTTO
MEDICI FAMILY
OLTRARNO
PERSEUS
PITTI PALACE
PONTE VECCHIO
RAFFAELLO
RENAISSANCE
SAN LORENZO
SAN MARCO
SANTA CROCE
THE DUOMO
TUSCANY
UFFIZI

No. 75 Bonfire Night

P	N	F	I	R	E	W	O	R	K	S	K	U
J	F	O	K	O	E	D	L	A	L	R	S	F
V	F	S	S	N	M	D	E	I	L	S	N	L
F	U	N	F	A	I	R	W	U	G	S	I	A
X	K	N	G	C	E	Y	R	O	S	H	A	R
A	E	G	F	L	C	R	V	U	P	L	T	E
E	W	H	O	O	S	H	T	E	A	N	N	S
R	W	N	O	V	E	M	B	E	R	B	U	Y
A	A	T	S	M	S	D	C	N	K	D	O	G
L	C	O	L	O	U	R	F	U	L	C	F	C
B	S	G	U	Y	F	A	W	K	E	S	O	P
Q	I	N	O	I	T	I	D	A	R	T	A	R
A	A	A	O	R	Y	A	L	P	S	I	D	A

COLOURFUL
DISPLAY
FIREWORKS
FLARES
FOUNTAINS
FUNFAIR
GUNPOWDER
GUY FAWKES
LIGHTS
NOVEMBER
ROCKET
SPARKLERS
TRADITION
TREASON
VOLCANO
WHOOSH

No. 76 Weather Words

N	R	S	U	R	R	I	C	L	M	W	B	M
O	O	T	A	P	E	Y	W	D	O	O	L	F
C	L	O	U	D	Y	D	S	S	S	A	U	B
I	S	R	S	J	T	S	N	A	F	H	E	L
T	J	M	V	N	E	A	E	U	B	E	S	A
T	T	Y	P	H	O	O	N	L	H	A	K	C
N	U	N	U	H	U	M	I	D	I	T	Y	K
R	S	D	I	C	U	Z	H	R	S	W	Y	I
G	A	G	V	M	Z	S	S	I	S	A	D	C
T	D	V	O	A	B	N	N	Z	O	V	M	E
S	Z	K	R	R	R	U	U	Z	N	E	Q	S
D	P	D	P	T	P	O	S	L	E	C	P	O
R	R	S	S	I	L	E	S	E	L	A	G	I

BLACK ICE
BLIZZARD
BLUE SKY
CIRRUS
CLOUDY
DRIZZLE
FLOOD
GALES
HEATWAVE
HUMIDITY
MONSOON
NIMBUS
STORM
SUNSHINE
THUNDER
TYPHOON

No. 77 Islands Of Europe

R	Q	I	S	P	D	S	O	N	J	C	E	N
C	R	E	T	E	P	O	I	O	C	L	I	P
T	Z	R	L	S	D	P	Z	C	B	P	H	Q
S	R	B	E	U	B	O	E	A	I	I	H	A
U	R	T	A	R	T	T	H	C	C	L	W	U
R	G	Y	V	P	A	J	Y	R	E	R	Y	J
P	T	E	X	D	S	I	J	O	L	A	U	A
Y	S	S	T	K	N	Y	N	N	A	I	I	N
C	O	R	S	I	C	A	S	I	N	U	B	T
K	F	E	X	O	V	T	L	M	D	O	I	C
P	R	J	R	R	T	L	R	E	G	R	Z	I
I	M	F	R	O	M	A	J	O	R	C	A	C
I	U	T	I	X	J	M	D	I	L	I	H	S

CORFU
CORSICA
CRETE
CYPRUS
ELBA
EUBOEA
IBIZA
ICELAND
IRELAND
JERSEY
MAJORCA
MALTA
MINORCA
RHODES
SARDINIA
SICILY

No. 78 Deserts

Q	G	Y	E	M	V	T	K	A	Y	D	A	J
A	R	B	W	K	H	A	R	A	N	O	T	Q
N	U	A	E	A	R	A	H	A	S	X	N	I
O	A	J	T	M	I	B	I	M	A	N	G	W
S	Q	R	N	F	L	B	I	R	A	S	U	T
B	O	W	O	J	U	I	O	A	I	Y	B	L
I	A	A	M	N	T	M	B	M	N	R	W	S
G	E	P	Y	Y	O	K	P	Y	L	I	S	J
O	S	I	U	J	X	S	T	V	A	A	S	P
B	Y	U	M	M	O	J	A	V	E	N	M	T
I	D	R	A	N	G	I	P	O	T	G	S	C
W	R	G	C	A	U	F	L	L	A	G	E	P
S	W	E	E	W	R	V	A	R	P	L	N	N

GIBSON
GOBI
KHARAN
LIBYAN
MOJAVE
MONTE
NAMIB
NEGEV
NUBIAN
RANGIPO
SAHARA
SIMPSON
SINAI
SONORAN
SYRIAN
YUMA

No. 79 Ancient Egypt

I	S	K	S	I	L	E	B	O	S	A	P	S
A	M	E	N	E	M	H	A	T	P	R	R	A
Y	U	N	S	I	S	S	A	E	H	T	R	N
I	S	P	E	S	L	D	K	S	I	P	D	U
T	T	Y	H	W	E	E	I	T	N	Y	H	B
I	E	S	M	A	K	M	R	M	X	G	V	I
T	S	A	P	B	R	I	A	I	A	E	O	S
R	S	S	X	H	O	A	N	R	V	R	Y	E
E	G	Y	P	T	O	L	O	G	Y	E	Y	L
F	R	S	Q	E	O	I	I	H	D	W	R	P
E	R	U	A	K	N	E	M	S	T	O	O	M
N	U	K	A	N	R	A	K	S	M	L	M	E
T	W	A	Q	S	P	E	I	R	E	S	R	T

AMENEMHAT
ANUBIS
EGYPTOLOGY
KARNAK
LOWER EGYPT
MENKAURE
NEFERTITI
NEW KINGDOM
NILE RIVER
OBELISKS
PHARAOH
PYRAMIDS
RAMESSES
SPHINX
SYMBOLISM
TEMPLES

No. 80 Airlines

E	R	A	S	S	I	O	E	A	M	U	L	W
E	K	N	E	H	C	R	A	N	O	M	Z	I
A	S	A	M	R	N	O	S	M	O	H	T	S
F	R	C	I	A	L	P	Y	W	U	W	A	K
L	E	I	R	R	L	P	J	O	A	A	N	F
S	A	R	A	O	C	I	E	R	S	U	E	T
R	M	E	T	S	D	A	T	R	P	S	P	T
E	S	M	E	L	S	N	N	A	T	T	U	I
S	B	A	S	P	D	O	O	A	L	R	B	X
I	W	Y	L	E	X	T	R	C	D	I	S	I
A	I	O	L	Y	M	P	I	C	F	A	A	B
F	C	T	R	F	R	R	I	A	N	N	I	F
D	A	X	T	O	S	Y	I	S	M	S	K	A

AIR CANADA
ALITALIA
AMERICAN
ARROW
AUSTRIAN
CONDOR
CROSSAIR
DELTA
EASYJET
EMIRATES
FINNAIR
FLYBE
MAERSK
MONARCH
OLYMPIC
THOMSON

No. 81 Philosophers

P	U	P	S	T	T	E	H	M	J	M	A	E
O	S	E	K	E	O	N	I	U	A	O	I	R
S	H	K	A	N	T	S	E	T	M	R	H	T
S	A	C	A	M	U	S	E	Q	L	E	X	R
P	I	O	I	S	P	N	R	B	P	P	K	A
G	F	L	U	Z	G	T	I	L	B	P	Z	S
H	T	A	Q	E	R	Y	K	S	M	O	H	C
E	Z	C	L	D	A	R	W	I	N	P	H	P
R	P	S	Z	A	C	E	B	I	H	C	U	E
O	T	A	L	P	F	B	P	T	M	G	I	N
D	Y	P	B	L	E	S	Y	W	Z	M	S	S
L	S	R	B	S	I	G	Q	L	A	F	F	L
X	A	A	G	S	U	M	P	R	S	W	X	S

CAMUS
CHOMSKY
DARWIN
ENGELS
HOBBES
HUME
KANT
LOCKE
MARX
MILL
MORE
PASCAL
PLATO
POPPER
SARTRE
SPINOZA

No. 82 Pirates

N	L	K	H	R	L	A	D	S	H	I	P	S
L	V	K	R	O	Q	N	S	E	L	X	A	B
O	P	Y	A	D	O	S	L	M	S	A	R	R
C	R	I	M	E	A	K	N	K	A	R	R	L
S	J	O	L	L	Y	R	O	G	E	R	O	R
Z	S	L	T	A	O	S	N	I	S	G	T	B
L	A	U	T	B	B	T	I	E	N	B	R	S
G	C	R	B	H	C	T	A	P	E	Y	E	U
U	D	E	Q	H	E	M	T	L	P	N	A	R
J	R	G	U	A	A	B	P	L	O	I	S	O
Y	A	N	U	G	W	P	A	L	E	T	U	E
U	O	A	U	A	O	O	C	E	D	U	R	Q
D	H	D	B	A	A	R	R	P	N	M	E	E

CAPTAIN
CRIME
CUTLASS
DANGER
EYEPATCH
GALLEON
HOARD
HOOK
JOLLY ROGER
MUTINY
OPEN SEAS
PARROT
ROBBERY
ROGUE
SHIPS
TREASURE

No. 83 Bridge

T	T	F	P	V	N	H	T	R	O	N	S	S
A	I	Q	A	R	K	R	A	V	N	K	R	I
E	U	U	S	Q	U	E	E	Z	E	K	F	G
A	S	S	S	F	L	R	A	V	R	P	I	N
C	R	A	Y	P	C	S	I	I	E	Z	N	A
I	O	E	C	A	M	T	T	P	A	R	E	L
E	J	N	L	R	L	U	E	R	O	C	S	S
X	A	L	T	A	I	P	R	V	T	S	S	E
T	M	A	T	R	Y	F	D	T	B	Q	E	L
G	I	I	F	A	A	B	I	N	O	T	O	B
Y	D	T	A	A	L	C	I	C	E	Q	U	U
U	U	I	K	C	I	R	T	D	E	D	U	O
V	I	S	L	C	H	N	P	C	W	G	T	D

CONTRACT
DOUBLE
ENDPLAY
FINESSE
MAJOR SUIT
NORTH
OVERCALL
PASS
RELAY BID
REVERSE
SACRIFICE
SCORE
SIGNALS
SQUEEZE
TRICK
TRUMP SUIT

No. 84 Counties

Z	M	C	S	C	M	L	L	X	X	O	W	M
K	T	X	L	H	E	A	Q	P	E	N	R	C
X	E	S	S	E	S	R	H	R	S	K	R	M
A	Z	N	T	S	V	I	R	R	S	Z	U	I
L	E	Y	T	H	Y	E	R	R	U	S	T	D
Q	P	T	O	I	B	P	L	O	S	D	L	D
Z	C	K	E	R	I	H	S	A	C	N	A	L
N	H	L	Y	E	K	T	P	U	N	X	N	E
P	S	O	M	E	R	S	E	T	R	D	D	S
K	D	F	I	T	T	H	H	S	M	I	J	E
Q	X	R	D	N	A	Z	S	I	R	L	B	X
Q	G	O	B	L	L	A	W	N	R	O	C	P
J	G	N	O	V	E	D	R	U	T	E	D	S

CHESHIRE
CLEVELAND
CORNWALL
DEVON
DORSET
DURHAM
ESSEX
KENT
LANCASHIRE
MIDDLESEX
NORFOLK
RUTLAND
SOMERSET
SURREY
SUSSEX
YORKSHIRE

No. 85 Dog Breeds

Y	J	K	O	O	N	I	H	C	D	S	W	G
X	P	S	W	V	S	M	H	A	M	R	R	K
P	T	E	C	O	C	I	L	U	O	E	U	G
M	Y	K	S	U	H	M	S	T	Y	G	O	B
H	U	X	O	U	A	A	T	H	R	J	S	T
O	E	D	A	T	P	W	O	E	G	P	F	M
K	E	H	I	S	E	U	A	O	O	J	K	E
K	U	A	A	I	N	T	L	I	D	O	F	L
A	N	L	L	D	D	Q	N	L	L	N	G	D
I	I	E	U	A	O	T	Y	C	L	A	R	O
D	R	A	N	R	E	B	T	S	U	N	R	O
O	B	E	M	R	S	P	U	Y	B	G	Q	P
A	P	W	K	R	F	S	R	H	B	I	M	F

BULLDOG
CHIHUAHUA
CHINOOK
DALMATIAN
GREAT DANE
GREYHOUND
HOKKAIDO
HUSKY

JONANGI
MUDI
POINTER
POODLE
ROTTWEILER
SAPSALI
SCHAPENDOES
ST BERNARD

No. 86 A Friendly Puzzle

Q	E	C	A	W	I	R	T	H	P	F	X	L
A	A	S	I	S	H	I	R	E	G	A	R	D
Y	E	U	Y	W	O	A	W	M	F	L	Z	R
H	I	P	T	T	F	E	R	F	O	Z	H	S
T	N	P	E	S	I	C	I	M	G	A	T	T
A	T	O	S	S	E	N	E	S	O	L	C	R
P	I	R	I	J	I	A	R	O	M	N	H	O
M	M	T	H	T	E	I	T	E	U	V	Y	P
E	A	L	Y	T	I	L	A	I	T	R	A	P
E	C	H	G	H	V	L	T	T	C	A	P	A
T	Y	P	R	T	A	A	A	D	U	E	R	R
S	T	S	S	E	N	D	N	O	F	L	L	F
E	N	L	U	R	E	S	P	E	C	T	S	A

AFFINITY
ALLIANCE
CLOSENESS
COALITION
EMPATHY
ESTEEM
FONDNESS
FRATERNITY
HARMONY
INTIMACY
PACT
PARTIALITY
RAPPORT
REGARD
RESPECT
SUPPORT

No. 87 Going To The Park

S	A	H	R	S	P	U	H	O	K	P	S	E
G	E	S	S	L	I	D	E	L	H	Z	W	A
U	X	E	H	W	A	T	E	R	T	G	G	U
F	S	U	R	H	I	G	T	D	R	A	R	T
I	S	H	U	T	R	N	T	A	I	O	I	E
E	P	O	B	A	B	E	G	I	A	S	W	U
L	I	S	S	P	S	G	J	S	E	S	A	I
D	R	S	D	T	A	E	L	I	R	L	L	N
S	R	E	W	O	L	F	E	E	A	T	K	T
P	I	G	E	O	N	S	T	S	Y	E	E	X
E	E	P	P	F	R	E	S	H	A	I	R	Y
X	O	P	S	S	S	P	Y	S	L	W	S	E
W	X	F	S	C	I	N	C	I	P	U	P	L

DAISIES
FIELDS
FLOWERS
FOOTPATH
FRESH AIR
GRASS
PICNIC
PIGEONS
PLAY AREA
SEE-SAW
SHRUBS
SLIDE
SWINGS
TREES
WALKERS
WATER

No. 88 Seen On TV

R	S	C	O	U	N	T	D	O	W	N	E	T
S	E	M	M	E	R	D	A	L	E	R	W	G
S	C	D	H	E	A	R	T	B	E	A	T	O
E	I	S	N	O	B	H	E	R	O	E	S	G
L	F	R	R	I	L	U	P	S	I	G	U	G
T	F	T	U	A	R	L	C	E	U	P	U	L
N	O	A	C	H	M	E	Y	E	Z	O	L	E
I	E	D	L	T	L	N	G	O	H	T	H	B
O	H	W	R	O	T	C	O	D	A	T	C	O
P	T	H	E	V	O	I	C	E	U	K	T	X
O	Y	U	G	Y	L	I	M	A	F	J	S	U
U	O	O	I	X	B	E	A	C	P	I	U	T
Z	R	T	L	R	L	R	U	I	B	N	L	T

COUNTDOWN
DOCTOR WHO
EMMERDALE
FAMILY GUY
GOGGLEBOX
HEARTBEAT
HEROES
HOLLYOAKS
HOUSE
JUDGE RINDER
LIFE ON MARS
POINTLESS
THE CUBE
THE OFFICE
THE VOICE UK
TOP GEAR

No. 89 Card Games

E	K	Q	L	T	O	U	T	R	B	C	J	T
B	E	E	Y	W	G	S	T	R	A	E	H	V
J	R	S	P	A	D	E	S	P	L	H	S	A
J	B	I	C	Z	A	C	I	I	E	D	O	E
M	E	P	D	B	N	N	H	N	S	T	L	C
R	Z	U	T	G	O	C	W	O	C	A	L	P
A	I	T	R	C	E	U	D	C	O	A	I	L
X	Q	L	H	E	L	B	I	A	B	T	B	S
L	U	L	R	X	O	O	B	B	A	E	H	O
A	E	D	O	N	P	U	E	I	L	E	J	S
T	T	Z	P	M	A	R	J	O	L	E	T	R
A	A	K	W	R	N	R	T	E	U	Q	I	P
T	E	U	C	H	R	E	M	U	S	D	A	S

BACON
BELOTE
BEZIQUE
BID WHIST
BOURRE
BRIDGE
CLABBER
ESCOBA
EUCHRE
HEARTS
MARJOLET
NAPOLEON
PINOCHLE
PIQUET
SHELEM
SPADES

No. 90 Ice Skating

H	E	F	R	E	E	D	A	N	C	E	O	X
R	R	G	S	X	L	U	U	A	Q	T	T	A
E	E	O	D	T	F	U	M	M	V	O	Z	S
Q	V	Z	Z	E	Z	E	T	E	T	E	A	W
I	E	F	A	N	L	Q	F	Z	T	L	O	R
R	L	K	Z	S	K	C	I	P	E	O	T	R
S	I	N	P	I	S	A	L	C	H	O	W	D
V	T	I	L	O	O	P	J	U	M	P	A	S
S	N	R	G	N	I	R	O	C	S	I	P	L
G	A	Q	E	P	U	S	Y	K	W	I	N	A
A	C	R	O	S	S	O	V	E	R	C	U	G
A	U	D	V	Q	S	E	T	A	K	S	W	L
Y	U	T	L	I	I	T	L	F	V	W	D	P

CAMEL SPIN
CANTILEVER
CROSSOVER
EDGE
EXTENSION
FREE DANCE
LIFT
LOOP JUMP
LUTZ
RINK
SALCHOW
SCORING
SKATES
SPIRAL
TOE LOOP
TOE PICK

No. 91 Art Movements

M	Q	H	M	O	D	E	R	N	I	S	M	P
A	R	T	N	O	U	V	E	A	U	A	L	O
N	K	F	B	V	S	S	T	R	V	U	E	P
N	M	U	M	P	J	U	R	R	R	F	U	A
E	S	T	S	R	E	E	A	A	E	T	Q	R
R	I	U	I	I	A	D	L	H	R	S	O	T
I	L	R	C	L	M	I	E	O	U	B	R	D
S	O	I	I	V	S	S	X	S	Z	A	A	D
M	B	S	T	M	I	K	I	I	P	D	B	L
S	M	M	R	K	V	D	P	V	A	P	P	P
L	Y	S	O	O	U	P	O	I	A	P	U	X
O	S	F	V	T	A	M	S	I	H	P	R	O
F	U	J	Q	P	F	M	S	I	B	U	C	T

ART NOUVEAU
BAROQUE
BAUHAUS
CUBISM
DADAISM
FAUVISM
FUTURISM
MANNERISM
MODERNISM
ORPHISM
PIXEL ART
PLURALISM
POP ART
SURREALISM
SYMBOLISM
VORTICISM

No. 92 Maths

R	H	O	M	B	U	S	N	B	H	E	H	D
E	O	L	U	P	C	O	G	A	S	L	I	O
L	W	T	K	B	I	S	E	C	T	Y	C	F
L	A	A	A	N	K	S	V	S	C	S	I	O
I	R	I	U	R	X	D	E	Y	A	C	T	R
P	C	X	M	A	E	T	N	R	R	A	A	E
S	T	E	R	O	T	M	N	W	T	L	R	R
E	A	V	F	H	N	I	U	E	E	C	D	A
A	N	N	E	B	F	I	M	N	S	U	A	X
A	M	O	I	X	A	U	B	R	I	L	U	E
Y	R	C	T	O	O	R	E	R	A	U	Q	S
Y	S	T	S	T	B	T	R	O	N	S	A	S
K	V	A	B	Q	W	T	Z	Q	L	J	R	P

ARCTAN
AXES
AXIOM
BINOMIAL
BISECT
CALCULUS
CARTESIAN
CONVEX
ELLIPSE
EVEN NUMBER
NUMERATOR
QUADRATIC
RHOMBUS
SET THEORY
SQUARE ROOT
UNION

No. 93 Olympic Sports

U	K	G	W	A	E	L	S	S	Q	D	H	X
L	Y	I	A	A	H	L	I	T	T	X	F	L
W	S	C	I	T	S	A	N	M	Y	G	O	T
S	A	E	G	O	A	B	N	J	U	D	O	R
E	Y	T	G	N	Y	Y	E	D	T	S	T	U
S	F	D	E	T	I	E	T	G	B	S	B	P
H	W	E	L	R	T	L	K	A	J	A	A	M
O	Z	I	N	Q	P	L	I	C	U	I	L	T
O	K	A	M	C	J	O	P	A	O	A	L	L
T	S	T	B	M	I	V	L	X	S	H	A	Q
I	B	A	D	M	I	N	T	O	N	T	Y	Z
N	I	B	O	X	I	N	G	N	I	W	O	R
G	N	I	V	I	D	J	G	C	A	M	W	B

BADMINTON
BOXING
DIVING
FENCING
FOOTBALL
GYMNASTICS
HANDBALL
HOCKEY
JUDO
ROWING
SAILING
SHOOTING
SWIMMING
TENNIS
VOLLEYBALL
WATER POLO

No. 94 Part Of Your Five A Day

P	S	T	O	R	R	A	C	L	L	L	P	V
I	Z	G	K	D	V	Y	W	O	P	P	O	S
N	D	B	E	O	E	N	D	I	V	E	D	U
R	L	P	C	X	M	G	R	A	D	I	S	H
U	A	A	M	U	S	T	A	S	K	J	P	F
T	D	R	T	T	F	G	O	B	L	F	I	E
O	G	S	U	S	O	V	A	L	B	O	N	J
O	N	N	I	K	P	M	U	P	L	A	A	A
R	I	I	V	D	T	R	A	P	Y	A	C	F
T	Z	P	O	S	A	O	E	T	X	H	H	W
E	F	Q	U	N	D	M	E	L	O	N	T	S
E	C	U	T	T	E	L	V	M	R	Z	U	K
B	O	F	U	L	R	Y	S	R	R	L	M	P

AVOCADO
BEETROOT
CABBAGE
CARROT
ENDIVE
LETTUCE
MELON
ONION
PARSNIP
PUMPKIN
RADISH
SATSUMA
SHALLOT
SPINACH
TOMATO
TURNIP

No. 95 The Big Bang Theory

A	O	J	R	C	C	S	F	C	P	V	I	L
A	N	E	D	A	S	A	P	P	R	P	G	E
N	D	R	A	N	O	E	L	P	S	D	W	Y
B	E	R	N	A	D	E	T	T	E	K	I	V
A	A	H	O	W	A	R	D	T	E	N	K	A
J	B	I	L	L	P	R	A	D	Y	C	N	T
A	C	A	L	I	F	O	R	N	I	A	H	Y
P	A	I	N	T	E	L	L	E	C	T	Q	D
Q	R	M	F	A	J	K	I	F	R	O	P	E
I	P	H	Y	S	I	C	I	S	T	S	L	N
L	D	Z	I	T	I	U	Y	R	S	T	K	L
M	O	C	T	I	S	H	E	L	D	O	N	Y
E	A	M	E	R	I	C	A	N	L	D	Q	J

AMERICAN
AMY
BERNADETTE
BILL PRADY
CALIFORNIA
CALTECH
CHUCK LORRE
HOWARD
INTELLECT
LEONARD
PASADENA
PENNY
PHYSICISTS
RAJ
SHELDON
SITCOM

No. 96 Provinces Of Spain

W	A	P	V	R	S	A	R	L	D	W	Q	O
T	N	A	T	A	R	R	A	G	O	N	A	A
M	O	T	T	I	J	D	I	S	O	T	S	M
A	R	R	A	V	A	N	C	R	O	G	T	R
Y	I	H	D	O	K	W	N	L	H	I	U	M
P	G	I	O	G	A	T	E	I	U	G	R	L
S	S	B	X	E	R	D	L	F	E	F	I	M
S	O	U	A	S	O	T	A	V	S	A	A	E
D	I	R	D	A	M	Q	P	N	C	I	S	E
E	E	G	I	N	A	R	R	T	A	C	S	L
S	S	O	E	A	Z	K	N	A	B	R	A	V
E	S	S	L	Z	Y	R	E	U	R	U	G	L
T	Q	A	L	A	H	C	J	Y	R	M	S	I

ASTURIAS
BURGOS
GIRONA
GRANADA
HUESCA
LLEIDA
LUGO
MADRID
MURCIA
NAVARRA
PALENCIA
SEGOVIA
SORIA
TARRAGONA
TOLEDO
ZAMORA

No. 97 70s Bands

F	O	R	E	I	G	N	E	R	L	P	N	Z
Q	D	B	A	R	H	P	T	T	E	A	F	K
M	E	N	E	Y	B	R	E	A	D	R	A	Q
R	E	R	O	E	S	S	I	K	Z	L	O	P
V	P	D	I	M	G	T	Z	U	E	I	L	T
G	P	Y	W	A	A	E	E	L	P	A	R	H
O	U	O	R	I	F	I	E	V	P	M	A	E
O	R	L	Q	Y	N	Y	D	S	E	E	G	K
J	P	F	N	T	T	S	T	L	L	N	U	I
F	L	K	E	K	I	A	T	I	I	T	S	N
G	E	N	E	S	I	S	I	A	N	E	V	K
F	T	I	U	T	O	X	R	V	R	A	N	S
D	O	P	Q	K	T	B	L	O	N	R	V	Y

BEE GEES
BREAD
DEEP PURPLE
EDWIN STARR
FOREIGNER
GENESIS
KISS
LED ZEPPELIN
NEIL DIAMOND
PARLIAMENT
PINK FLOYD
QUEEN
RAY STEVENS
SUGARLOAF
THE KINKS
VANITY FAIR

No. 98 Geography

P	C	A	N	C	E	R	I	S	O	R	S	J
I	E	S	F	A	A	P	A	S	F	K	H	E
S	A	A	R	O	T	A	T	A	L	V	E	S
T	L	A	K	E	S	I	B	M	D	A	T	S
R	M	G	T	Z	V	E	O	D	E	L	N	I
E	Y	E	D	U	T	I	G	N	O	L	S	D
A	Q	D	R	L	R	I	R	A	S	E	F	O
M	R	U	W	I	W	E	G	L	C	Y	P	M
S	V	T	A	T	D	T	G	Z	I	S	D	M
X	J	I	I	T	T	I	P	I	P	A	M	F
I	W	T	H	I	O	Y	A	B	O	S	A	R
A	K	A	T	L	G	R	U	N	R	N	D	X
P	I	L	P	E	P	Y	X	S	T	M	S	B

CANCER
EQUATOR
ISLAND
LAKES
LANDMASS
LATITUDE
LONGITUDE
MAP
MERIDIAN
NATIONS
PEAK
REGIONS
RIVERS
STREAMS
TROPICS
VALLEYS

No. 99 In A Meeting

G	O	S	I	V	T	Z	R	J	O	L	K	T
D	I	T	T	C	A	S	E	T	O	N	E	K
S	U	M	M	A	R	Y	V	L	L	I	D	U
N	F	D	E	C	I	S	I	O	N	S	U	R
Q	W	R	Y	T	X	S	E	K	E	T	P	Q
I	H	L	A	R	I	T	W	V	M	R	D	T
C	C	C	O	T	A	T	I	A	O	A	A	E
S	E	L	L	B	A	T	X	J	D	T	T	U
S	E	J	L	O	C	R	E	E	H	E	E	W
S	P	E	V	E	S	C	G	R	N	G	S	Z
H	S	C	J	U	T	I	W	E	C	Y	K	N
A	O	B	U	O	M	I	N	U	T	E	S	T
X	O	I	R	J	L	P	J	G	I	S	S	C

CLOSING
DECISIONS
MINUTES
NEXT ITEM
NOTES
OBJECTIVES
PROJECTOR
REVIEW
ROLES
SECRETARY
SPEECH
STRATEGY
SUMMARY
TABLES
TARGETS
UPDATES

No. 100 Herbs And Spices

T	Z	P	A	H	O	D	K	J	U	D	U	I
M	P	C	W	F	S	I	H	A	P	N	P	A
F	A	E	L	Y	A	B	R	S	U	O	L	Z
A	R	R	E	P	P	E	P	M	H	R	C	X
A	S	O	O	B	A	E	A	I	G	F	I	T
U	L	L	L	J	A	A	T	N	E	F	L	H
U	E	Y	F	S	R	O	S	E	M	A	R	Y
L	Y	O	R	E	G	A	N	O	T	S	A	M
D	I	L	L	V	N	I	M	J	U	T	G	E
C	R	S	S	I	A	N	N	U	N	R	H	E
D	I	L	U	H	S	F	E	G	W	U	A	U
T	V	R	E	C	W	A	R	L	E	V	T	L
B	E	U	T	A	B	P	B	K	R	R	F	T

BASIL
BAY LEAF
CHIVES
DILL
FENNEL
GARLIC
GINGER
JASMINE
MARJORAM
NUTMEG
OREGANO
PARSLEY
PEPPER
ROSEMARY
SAFFRON
THYME

No. 101 Ashes Cricketers

U	V	R	L	C	R	S	R	T	V	J	W	T
U	D	A	O	R	B	K	V	D	A	F	K	G
U	W	O	T	S	R	I	A	B	A	N	E	P
S	K	E	O	C	R	Y	X	R	E	T	S	R
E	A	C	O	W	G	R	C	V	P	Z	U	U
F	A	G	R	D	E	S	I	L	L	E	B	W
D	V	B	U	T	T	L	E	R	A	P	J	A
Q	S	I	D	D	L	E	Z	K	H	R	D	R
T	G	Q	S	Y	U	M	V	A	O	T	K	N
H	Z	Q	O	T	H	O	D	G	H	T	S	E
U	R	N	R	P	A	D	E	S	R	I	S	R
R	D	Y	Z	N	I	R	O	Z	Q	S	R	F
R	L	I	R	N	S	U	C	P	T	O	P	S

BAIRSTOW
BELL
BROAD
BUTTLER
CLARKE
COOK
HADDIN
HAZLEWOOD
LYON
NEVILL
ROGERS
ROOT
SIDDLE
STARC
STOKES
WARNER

No. 102 2015 Rugby World Cup Teams

G	E	S	X	B	H	A	G	L	L	T	E	M
Z	N	C	D	T	Y	A	U	G	U	R	U	N
A	H	C	N	N	G	L	T	Z	H	N	H	W
S	Q	E	A	I	A	E	A	K	I	A	N	R
D	W	X	L	N	R	L	O	T	C	X	E	K
T	O	N	G	A	A	I	E	R	I	I	W	E
F	R	A	N	C	E	D	K	R	G	D	Z	B
G	S	E	E	S	S	W	A	N	I	I	E	X
R	S	O	U	T	H	A	F	R	I	C	A	Q
N	A	P	A	J	Y	L	M	I	R	T	L	G
T	K	T	I	T	T	E	N	O	J	A	A	M
U	E	L	Y	G	A	S	I	P	A	I	N	Q
S	T	H	Z	S	C	O	T	L	A	N	D	L

CANADA
ENGLAND
FIJI
FRANCE
GEORGIA
IRELAND
ITALY
JAPAN
NEW ZEALAND
SAMOA
SCOTLAND
SOUTH AFRICA
TONGA
UNITED STATES
URUGUAY
WALES

No. 103 Found In An Address

R	A	F	N	Z	E	B	R	R	R	Y	H	Q
O	N	L	G	P	A	T	H	L	Q	O	E	S
L	V	R	D	A	I	A	B	A	N	K	P	R
B	G	L	N	R	D	L	M	R	L	C	L	S
O	S	E	L	N	F	I	I	E	L	L	A	X
I	A	R	R	U	X	V	I	S	W	O	N	T
S	R	T	H	H	E	C	Q	P	R	S	E	U
E	F	Q	H	I	P	G	R	O	V	E	X	I
M	E	S	I	R	L	L	L	C	R	U	R	V
A	T	A	M	R	A	L	A	T	V	R	F	K
G	F	R	N	R	Z	N	S	C	I	T	R	I
I	O	R	Q	I	A	R	C	U	E	B	R	H
N	S	P	M	A	W	F	I	H	W	V	G	T

BANK
CLOSE
COPSE
FARM
GROVE
HALL
HILLS
LANE
MEWS
PATH
PLACE
PLAZA
RANCH
RISE
STREET
VIEW

No. 104 Pythons

H	T	O	J	S	N	E	R	D	L	I	H	C
S	P	O	T	T	E	D	E	O	A	E	R	M
C	O	C	A	R	P	E	T	D	Y	Y	E	P
F	U	L	N	D	N	D	I	Z	O	R	T	S
J	K	C	O	R	N	A	C	I	R	F	A	U
E	V	T	Q	S	M	E	U	S	U	F	W	M
I	S	A	S	O	R	H	L	P	D	R	N	L
R	N	E	N	O	U	K	A	Y	A	A	W	I
R	I	D	M	G	J	C	T	G	P	P	O	B
P	S	I	I	R	O	A	E	M	B	L	R	O
Y	T	S	F	A	U	L	D	Y	I	Y	B	B
G	M	J	K	I	N	B	A	V	T	C	L	F
R	P	X	I	I	L	I	E	N	L	P	R	D

AFRICAN ROCK
ANGOLAN
BLACK-HEADED
BROWN WATER
BURMESE
CARPET
CHILDREN'S
DIAMOND
INDIAN
OLIVE
PAPUAN
PYGMY
RETICULATED
ROYAL
SPOTTED
TIMOR

No. 105 Downton Abbey

M	I	S	S	O	B	R	I	E	N	A	S	S
E	J	L	A	D	Y	S	Y	B	I	L	E	E
Q	O	M	A	H	T	N	A	R	G	C	T	W
S	P	E	R	I	O	D	D	R	A	M	A	O
T	E	T	B	T	W	O	M	R	R	N	B	L
N	O	S	R	A	C	R	M	S	U	R	R	L
A	T	Q	T	K	B	I	H	V	K	C	M	E
V	O	S	E	A	C	U	R	Y	E	D	P	F
R	L	R	R	H	G	S	U	D	C	V	R	T
E	Y	R	A	H	S	S	E	T	N	U	O	C
S	O	E	E	R	A	W	R	A	I	E	A	G
W	L	S	T	T	A	G	G	O	R	F	R	O
T	Y	E	L	W	A	R	C	P	P	K	U	R

CARMICHAEL
COUNTESS
CRAWLEY
DOCKERY
FELLOWES
FROGGATT
GRANTHAM
LADY SYBIL
MISS O'BRIEN
MR BARROW
MR BATES
MR CARSON
MRS HUGHES
PERIOD DRAMA
PRINCE KURAGIN
SERVANTS

No. 106 Big Or Small

P	B	G	N	R	S	F	S	L	I	G	H	T
J	U	U	E	A	U	H	U	U	E	P	U	A
U	P	T	R	M	U	M	O	H	Z	D	G	C
A	E	E	U	A	O	T	D	R	G	X	E	I
F	L	A	T	J	D	E	N	I	T	T	E	T
E	U	J	A	I	E	X	E	A	S	Y	L	N
P	C	O	I	M	T	T	M	A	G	V	S	A
C	S	C	N	Q	A	E	E	V	A	R	S	G
G	U	X	I	U	C	N	R	S	A	Z	A	I
U	N	N	M	O	N	S	T	R	O	U	S	G
T	I	N	Y	C	U	I	T	M	K	U	T	W
Q	M	S	A	L	R	V	M	W	R	T	U	F
R	S	C	A	N	T	E	S	N	E	M	M	I

EXTENSIVE
GARGANTUAN
GIGANTIC
HUGE
IMMENSE
MINIATURE
MINUSCULE
MONSTROUS
PETITE
SCANT
SHORT
SLIGHT
TINY
TREMENDOUS
TRUNCATED
VAST

SOLUTIONS

Solution 1

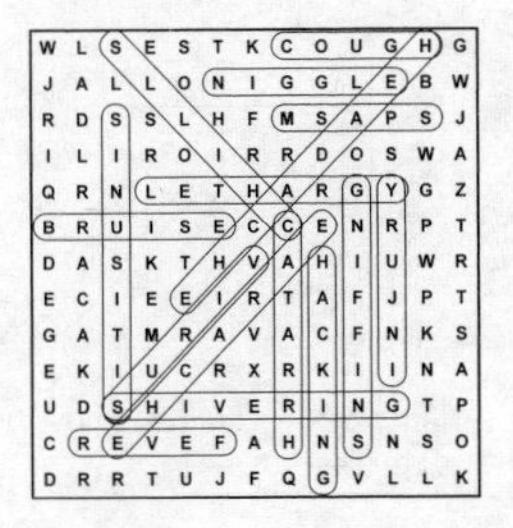

Solution 2

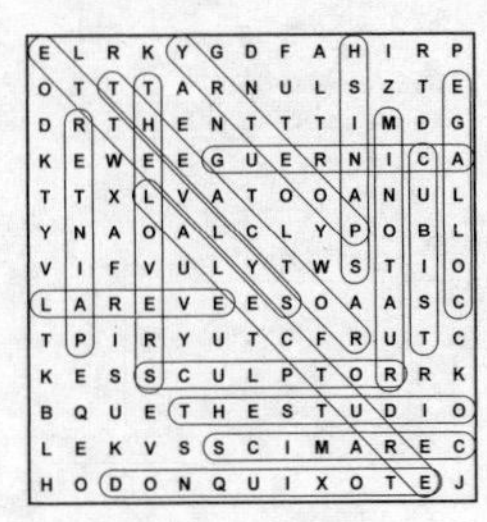

Solution 3

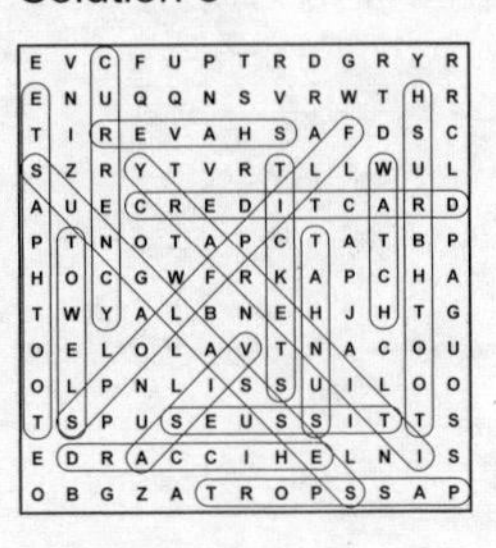

Solution 4

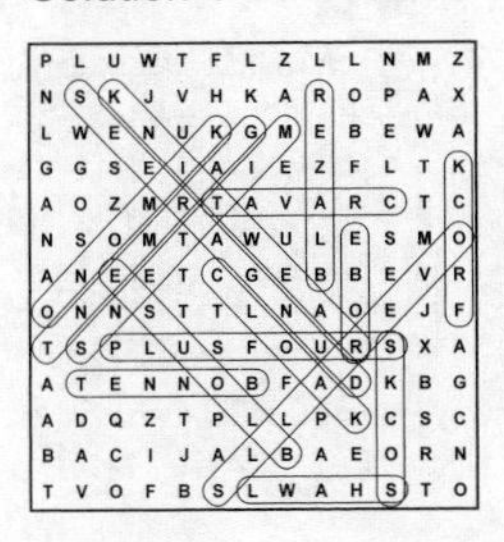

Solution 5

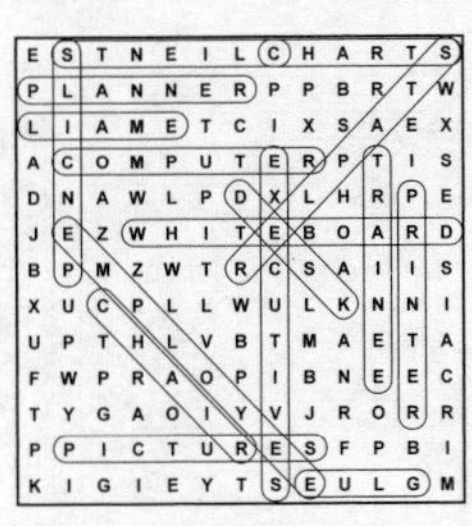

Solution 6

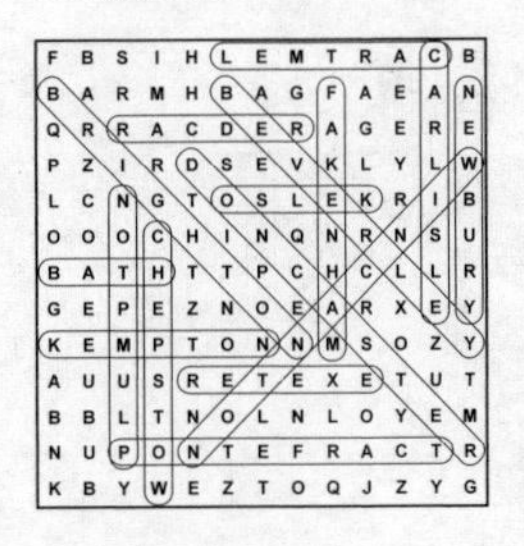

Solution 7

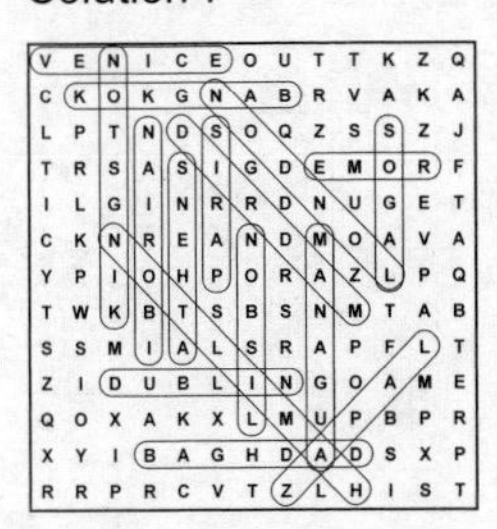

Solution 8

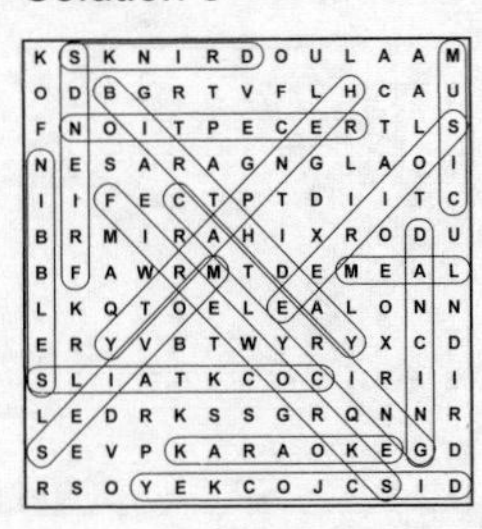

Solution 9

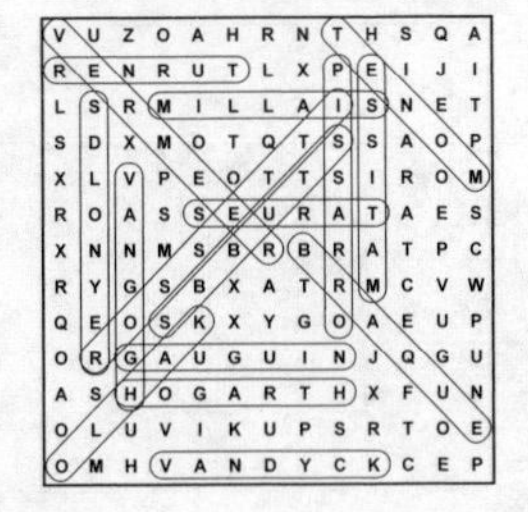

SOLUTIONS

Solution 10

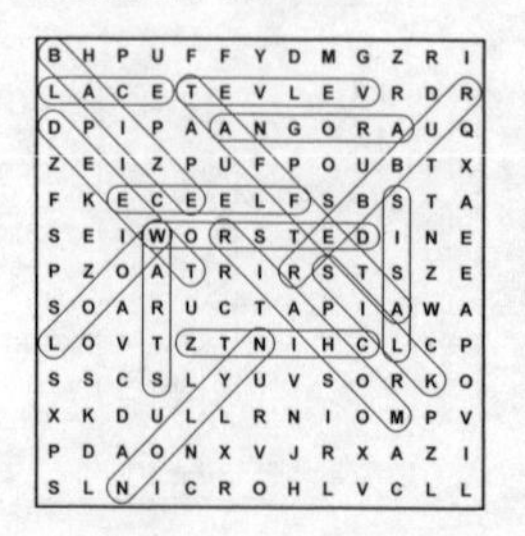

Solution 11

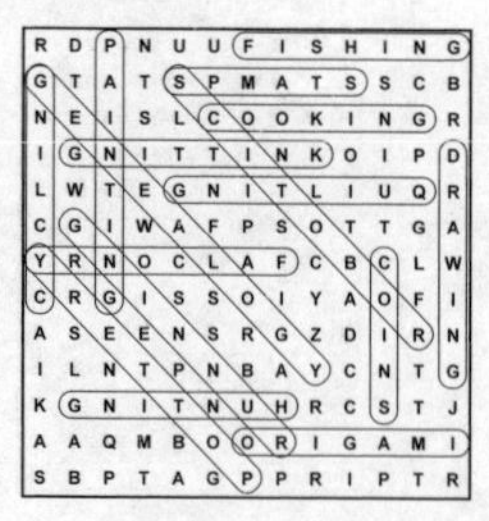

Solution 12

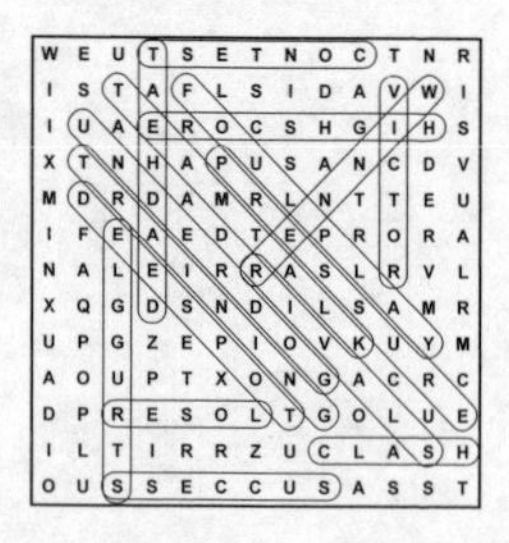

Solution 13

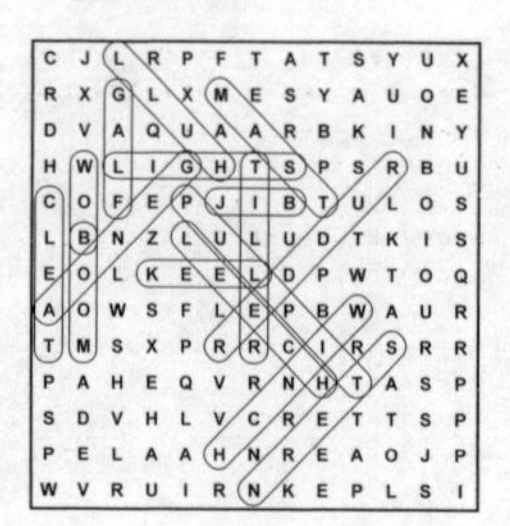

Solution 14

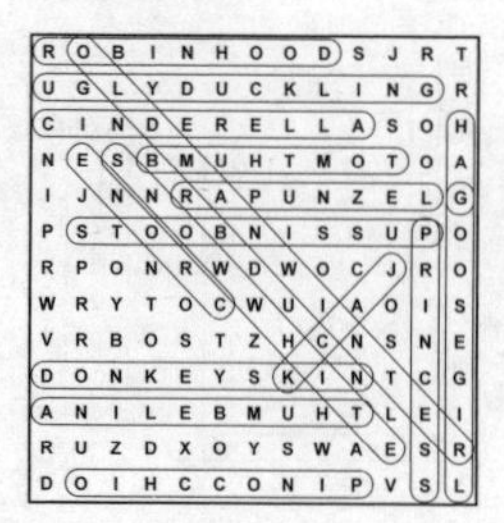

Solution 15

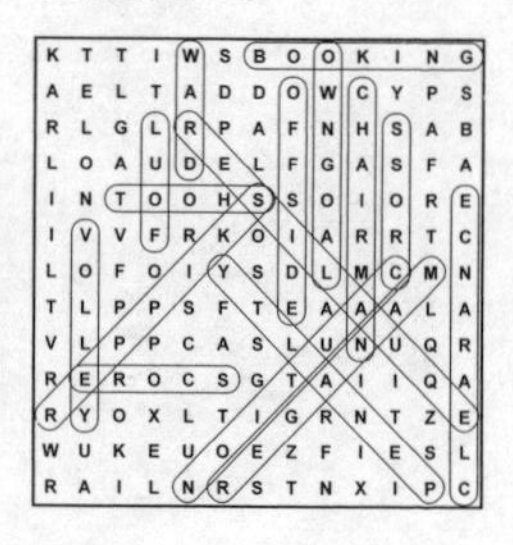

Solution 16

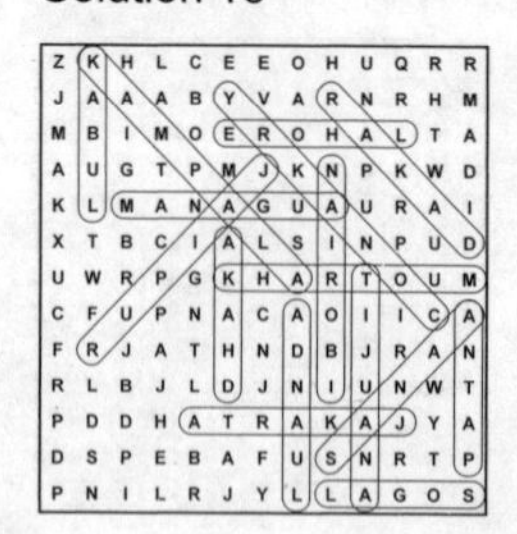

Solution 17

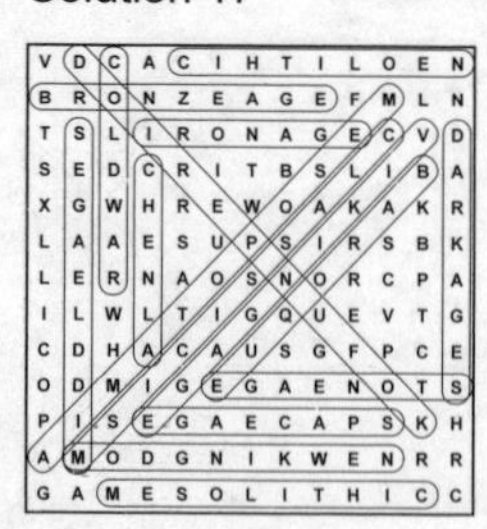

Solution 18

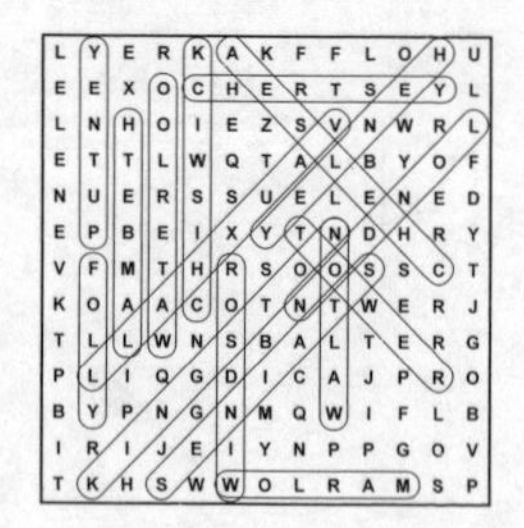

SOLUTIONS

Solution 19

S	L	R	F	R	U	I	T	P	I	B	A	I
R	E	E	S	I	Z	R	H	Y	E	I	B	U
E	Y	N	M	N	S	X	P	K	S	S	A	F
H	K	A	I	E	O	H	E	T	C	O	R	E
C	S	E	A	Z	A	I	M	R	A	I	C	S
T	C	L	L	R	A	T	T	O	N	Z	O	I
U	H	C	M	R	W	G	B	C	N	O	D	O
B	E	A	S	E	L	B	A	T	E	G	E	V
E	C	U	D	O	R	P	L	M	R	S	E	A
Y	K	Y	L	A	R	E	I	H	S	A	C	R
W	O	E	J	N	I	V	B	G	G	S	K	S
F	U	D	N	P	X	R	O	L	P	W	B	R
S	T	R	O	L	L	E	Y	P	X	R	B	O

Solution 20

Y	G	N	I	V	I	D	Y	K	S	T	P	Y
G	N	I	K	L	A	W	G	N	I	W	C	R
N	I	I	S	U	O	R	E	G	N	A	D	C
I	V	C	I	K	Q	T	P	R	V	K	Q	I
D	I	R	E	G	I	G	O	E	R	E	P	S
I	D	M	S	C	N	I	D	V	E	B	A	S
L	A	C	L	S	L	I	N	X	G	O	R	O
G	B	M	X	X	V	I	C	G	L	A	K	R
A	U	X	C	I	T	I	M	A	N	R	O	C
R	C	K	N	E	T	A	A	B	R	D	U	O
A	S	G	N	I	F	R	U	S	I	I	R	T
P	A	I	N	T	B	A	L	L	I	N	G	O
T	R	G	A	X	U	V	L	P	B	G	G	M

Solution 21

R	Z	K	F	X	K	T	E	A	Z	P	U	L
Z	T	C	L	L	Y	Q	T	M	T	U	L	S
S	S	A	U	C	E	P	A	N	I	G	U	E
R	T	C	T	K	D	M	L	F	O	X	R	H
T	P	S	E	T	A	L	P	E	I	W	E	A
S	L	V	Z	U	N	P	N	R	W	R	M	R
W	H	I	S	K	I	T	D	D	B	O	I	O
C	U	T	L	E	R	Y	I	S	V	R	T	W
G	T	T	J	T	A	G	N	E	L	Y	G	T
H	R	W	T	T	M	T	N	V	S	A	G	C
R	E	I	P	L	E	R	E	C	I	P	E	R
T	A	B	L	E	W	N	R	R	N	T	O	A
A	O	J	A	L	B	L	R	Q	K	L	R	R

Solution 22

E	O	U	S	Y	S	V	A	T	L	U	O	S
L	D	C	E	G	D	I	R	B	M	R	C	X
U	O	S	S	H	I	O	A	B	R	A	J	B
J	T	M	D	S	N	A	L	B	L	H	R	E
C	L	R	I	E	V	U	C	E	I	U	B	F
U	O	E	A	C	E	Y	I	B	M	U	A	R
T	N	M	T	N	R	P	T	O	T	K	L	G
T	G	H	O	E	S	O	A	P	E	N	L	W
C	M	T	N	D	I	P	M	B	U	R	A	Q
D	E	Y	I	A	O	M	O	I	B	G	D	L
S	T	H	C	C	N	O	R	S	T	Q	P	A
F	E	R	T	S	K	D	H	W	E	A	B	H
J	R	T	O	G	N	I	C	I	O	V	A	U

Solution 23

T	R	N	G	Q	C	I	F	I	C	A	P	M
L	M	C	A	M	O	S	E	A	L	A	M	T
M	I	O	L	L	A	I	R	E	P	M	I	O
O	O	R	L	I	I	L	F	T	O	A	S	A
H	T	O	O	O	S	A	O	O	C	N	S	Q
M	R	N	J	B	L	I	N	R	H	D	I	V
S	O	A	A	Z	D	L	O	U	E	A	O	O
O	P	D	L	U	I	M	N	C	G	L	N	S
O	L	O	N	G	B	E	A	C	H	A	A	Y
U	E	Q	H	F	Q	S	S	L	U	Y	L	A
F	R	T	R	O	P	W	E	N	I	T	E	D
O	P	P	U	T	T	J	T	R	I	B	E	H
A	S	V	L	V	L	W	A	H	R	V	U	W

Solution 24

W	L	T	Z	E	J	E	U	D	L	I	S	L
C	E	L	N	E	G	S	A	F	K	P	T	S
R	O	I	Z	F	I	D	Y	Z	P	G	R	O
J	P	M	T	F	C	I	U	E	Q	N	T	I
L	J	E	N	O	C	T	W	F	X	I	W	H
E	P	R	C	T	T	E	S	P	S	T	A	C
S	T	G	I	A	R	V	A	N	I	L	L	A
G	C	O	C	O	N	U	T	R	K	E	N	T
T	H	S	L	M	Y	A	F	B	X	M	U	S
N	E	G	S	E	K	A	L	F	D	S	T	I
B	R	T	U	R	M	E	N	I	L	A	R	P
R	R	U	N	U	C	O	F	F	E	E	T	F
E	Y	A	I	L	D	T	N	Z	E	K	E	T

Solution 25

N	I	O	A	S	T	H	V	W	E	O	E	T
Q	E	R	E	M	T	P	R	T	V	Y	M	N
L	T	P	T	U	E	S	Y	H	T	E	T	I
E	W	J	Y	E	R	T	D	R	Q	A	I	F
S	C	H	I	D	P	O	I	E	V	R	D	H
Y	U	T	H	U	K	T	P	S	I	I	I	Q
A	D	I	A	R	O	D	N	A	P	M	P	S
I	R	T	E	N	O	I	D	I	A	H	O	R
N	I	A	S	S	I	R	A	L	O	N	A	S
U	O	N	L	I	U	A	I	E	B	E	H	T
T	A	E	H	E	U	A	B	H	O	B	E	Y
S	I	T	K	A	L	E	R	P	Z	J	U	H
A	A	A	Z	P	H	O	B	O	S	W	R	X

Solution 26

T	N	V	A	T	S	A	K	I	C	P	H	N
A	Y	E	I	J	S	S	A	L	I	Z	A	A
S	P	E	R	T	I	N	A	X	S	K	D	I
A	A	T	W	O	E	U	H	G	G	I	R	T
C	R	J	H	G	D	L	A	A	Y	O	I	I
R	T	U	S	I	A	L	L	A	V	B	A	M
R	O	O	U	Q	B	L	U	I	E	R	N	O
R	L	S	D	A	U	G	G	R	U	L	E	D
P	L	Q	O	S	U	T	I	T	O	S	S	N
S	C	Y	M	P	P	U	L	A	O	H	L	T
A	E	E	M	A	S	N	A	J	A	R	T	O
I	C	G	O	T	T	A	C	I	T	U	S	O
R	E	C	C	O	Y	Z	W	A	S	S	U	W

Solution 27

S	N	A	U	R	C	K	P	V	L	W	P	X
Y	R	I	M	A	T	A	T	A	F	B	E	N
J	E	T	R	K	A	T	B	T	B	L	S	O
O	U	G	R	O	V	R	L	R	R	A	R	O
A	B	D	A	A	D	E	A	O	E	Z	Z	I
F	E	T	G	N	B	N	Z	T	A	A	U	U
G	I	M	H	E	I	L	A	S	K	W	S	C
O	N	G	T	R	I	O	W	R	F	I	E	U
L	J	I	H	S	O	G	E	N	A	H	O	A
E	H	O	W	T	A	W	G	S	L	S	S	R
W	B	U	D	O	I	A	A	P	L	A	A	Q
B	U	A	X	P	B	N	N	O	P	P	I	I
T	R	A	I	N	I	N	G	H	V	R	O	G

SOLUTIONS

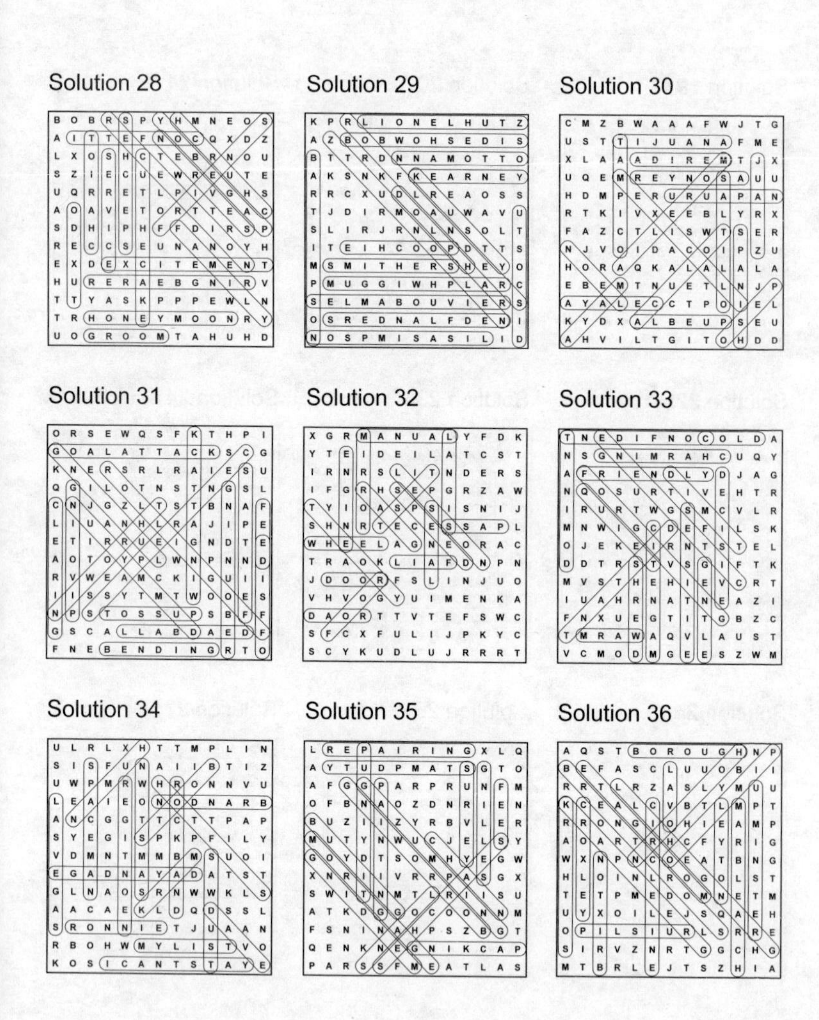
Solution 28
Solution 29
Solution 30
Solution 31
Solution 32
Solution 33
Solution 34
Solution 35
Solution 36

SOLUTIONS

Solution 37

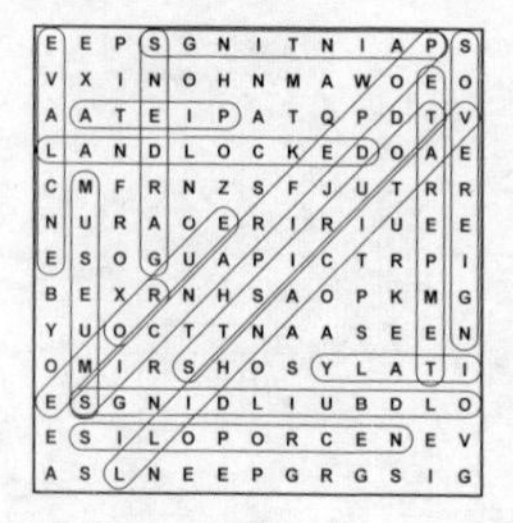

Solution 38

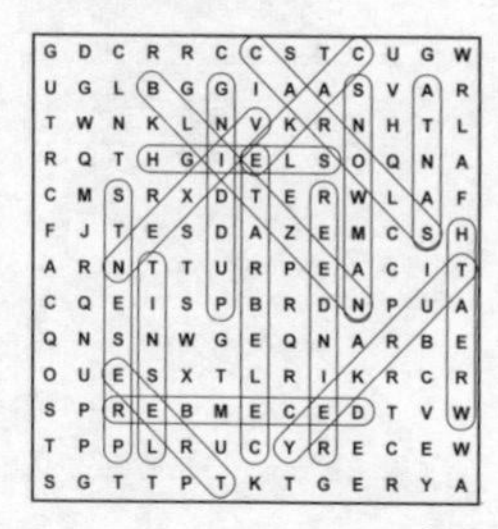

Solution 39

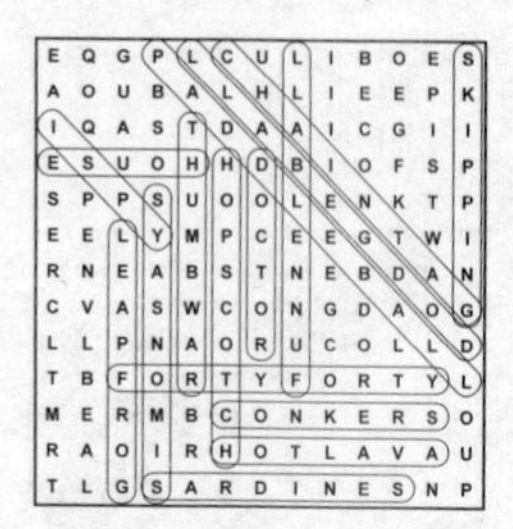

Solution 40

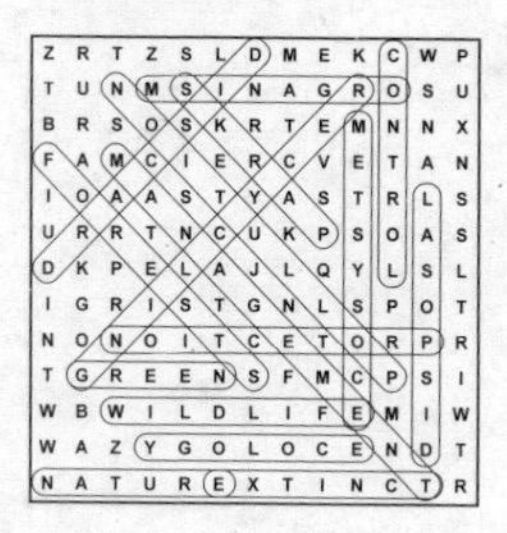

Solution 41

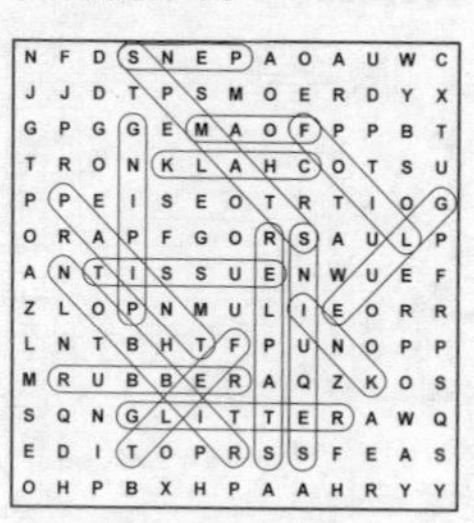

Solution 42

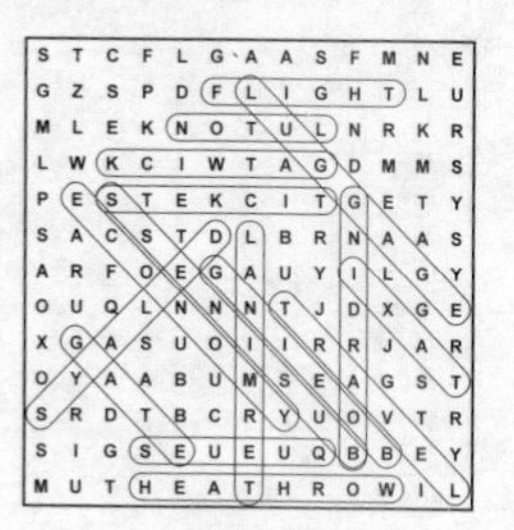

Solution 43

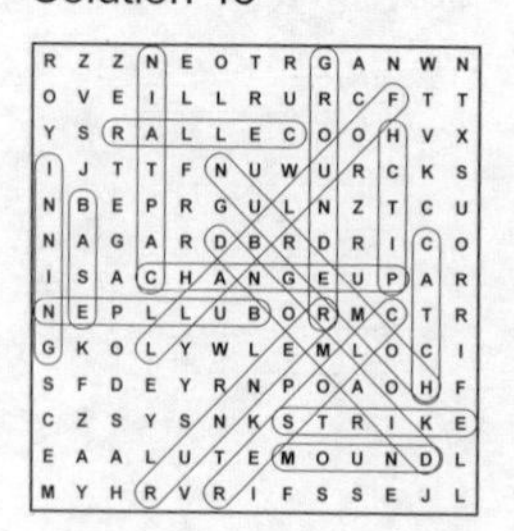

Solution 44

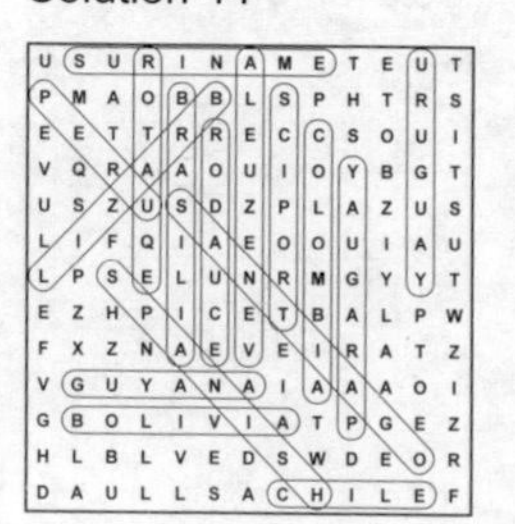

Solution 45

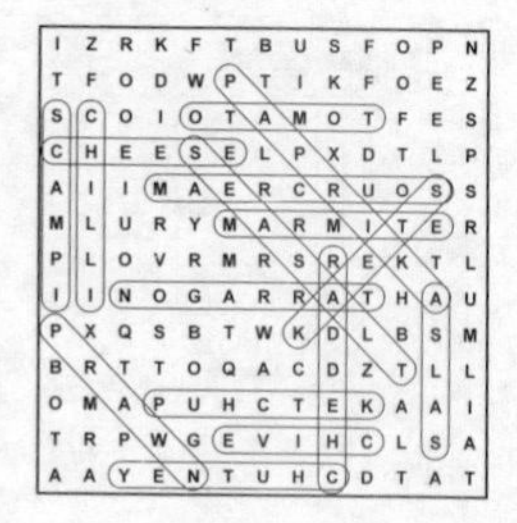

SOLUTIONS

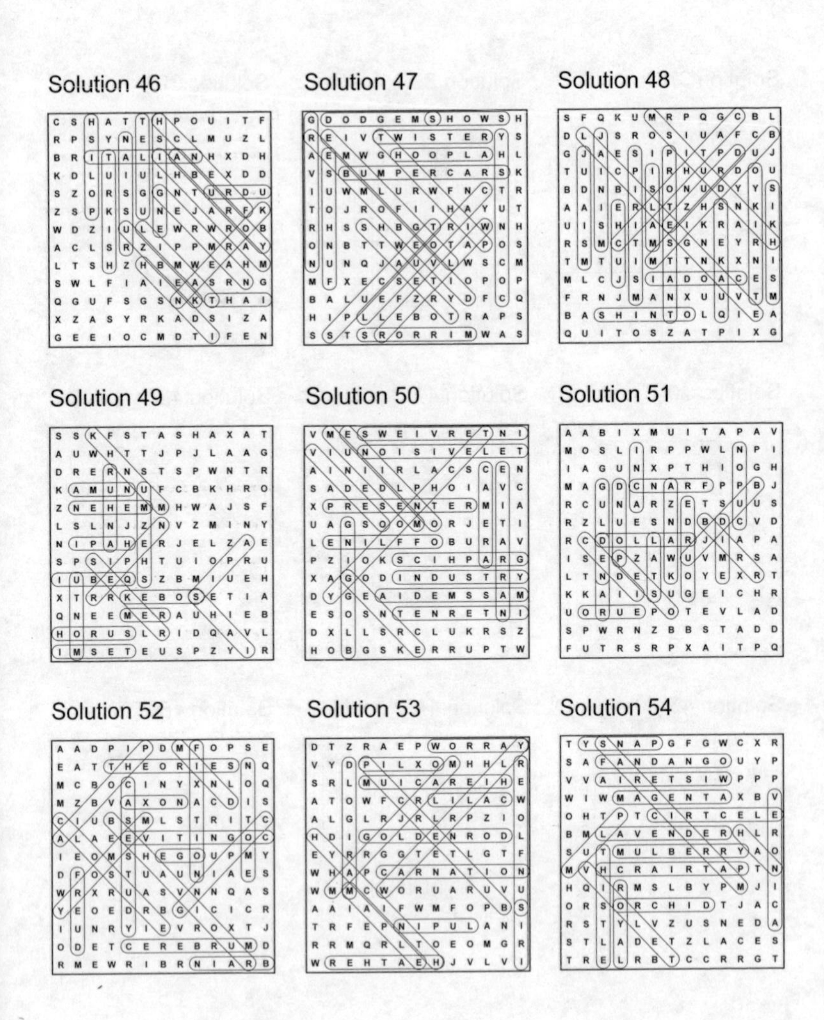
Solution 46
Solution 47
Solution 48
Solution 49
Solution 50
Solution 51
Solution 52
Solution 53
Solution 54

SOLUTIONS

Solution 55

```
G S L R G U S T G T E S O
O T Q Q W N T F C A E G Q
Q N L E P Y I E Y R T A E
V E S I M O R P A T R O L
F T A L T E O S M X Q T C
M I V B M M C R T A R E P
E E R O B M A J T O C L L
E A N S R E R U T A N A L
T Y O U T D O O R S P K A
I K E Q A A L Z F W W E T
N J X S L L I K S I A U Q
G N I K I H I D Y S N T N
S R E D A E L Z C N W U D
```

Solution 56

```
C L A G T O T J W N Z F D
T E A Y Y O E P K Y A A X
I T P T F A T L L C G R T
E A V R A L T W O A P R X
G B S M X I O V Q P N E E
F T S P O N D W E E D T T
T U A G N S S U E N U A S
M D S I S E Q I M R U W T
U T M J T C A U T M S P W
I V Y K T T L L I N F Y E
R L C Q R S E I A T R R N
G T M Q R S S I L T O A D
T R A Q J U V H T Y G Q G
```

Solution 57

```
M E N O S E A S D R U E E
O R C T L Z E C P A T L Z
D U T A L I R A H V E O Z
N U O W E T S F E E B R R
L I S E O T A T O P E E B
S O N M A E R C E C I S R
L O R O C H O T D O G S E
R T D J R G M P S A L A D
C A K E T A L O C O H C L
T R A L O P C Y P T L C A
P F B L A S R A V I O L I
T X T Y S L L U M O O J L
F N M A T T Y V R B G T Z
```

Solution 58

```
N E E D L E S O R J E S Z
Q V S T O N K P I L S C U
R Y A R N P P U R L A X T
I G A U G E I A W S E Y R
T T S O T A S O T A R U S
M B O N A K T O K T C A Y
Q S L L I G N I K E E T S
S S N P L A N A L O D R I
E U U R S O H I N U O R N
L H T A B D O C B T F H L
H K L O B L R W N B L I C
Y R R S V K J E A H I O K
S O O L A S T E H C O R C
```

Solution 59

```
S G O L S T F B P J L S F
J P F N K W O A S B L T U
T L N W I U I O E E A A B
Z Q P I N N I N G S B I D
Y O C C T B T B G A D C L
Q P E K H I R M T R A I F
E R N E E E S N Z T E T D
L E T T A F G T C X D I O
A N U K S A U H A E E L X
T N R T H C L U F T A R J
L I Y R E D L E I F E P U
K P A Z S I Y K L O A H R
M S D A P R S I P A P T T
```

Solution 60

```
D Q S S D E L I X M A Y P
R Q N E M U E C Y L L P E
O S W H G T G L T T Y G O
A N R Y F D N L O Q R A E
P E O U N O I R E T I R C
O E X I V D R R A I C R A
L U N E N A H T B J G I L
L Q L O Q I E A U M S C A
O L D V I C M Y M N A K P
O L P L A Y H O U S E C B
I P K A X M A V D E L P O
E N L I K G T A T Z A Y I
F P W W G L A S Y R S R M
```

Solution 61

```
P A H O E A Z U D S K T N
H E T H A W P V N K C U I
Q D J K S P E E D W A Y R
O I G P P S R L L U P A I
H M N Y R P R O L O G U E
X A A E I S S D G E T N K
C D G C N Z T R A Q N O L
D I N N T Q O O I K H L N
L S I E E T D M R S O E O
R O A D R A C E N I W H T
X N H A Y S Q F A I D C C
J P C C H I C A N E U E T
S K A Y S F S T I O S M R
```

Solution 62

```
O N N E E I K E F E F I T
T O R R N O C I L E H R E
R I O O O O D E L G U B N
O R H R H H H M F M J W R
M A X T P O L P P X U T O
B L A U A I L E O X R Y C
O C S C S E T H G Z K P S
N A A B U T V Q U U Z E S
E U P H O N I U M K L A I
C L O S S A B M I C D F J
K A K A K I H K T S G Q E
Q C G N I L G N A K A Q I
U T U A E V R M V P A I L
```

Solution 63

```
I O S F A N T A S Y E O C
S F I R K R O W D R A H O
E K A D G N L I A S A O N
C A M B S C P O T R K M C
T B V U E R H O A C A V E
O I I I U S R C S N I D P
U O E T S Y T U U T A F T
M G W O R E H S D R O W G
R R P P R E C I E I H R R
K A O S E R O R O L S T J
Z P I V I L L A I N L U U
Q H N P D I A L O G U E W
S Y T I V I T A E R C U R
```

SOLUTIONS

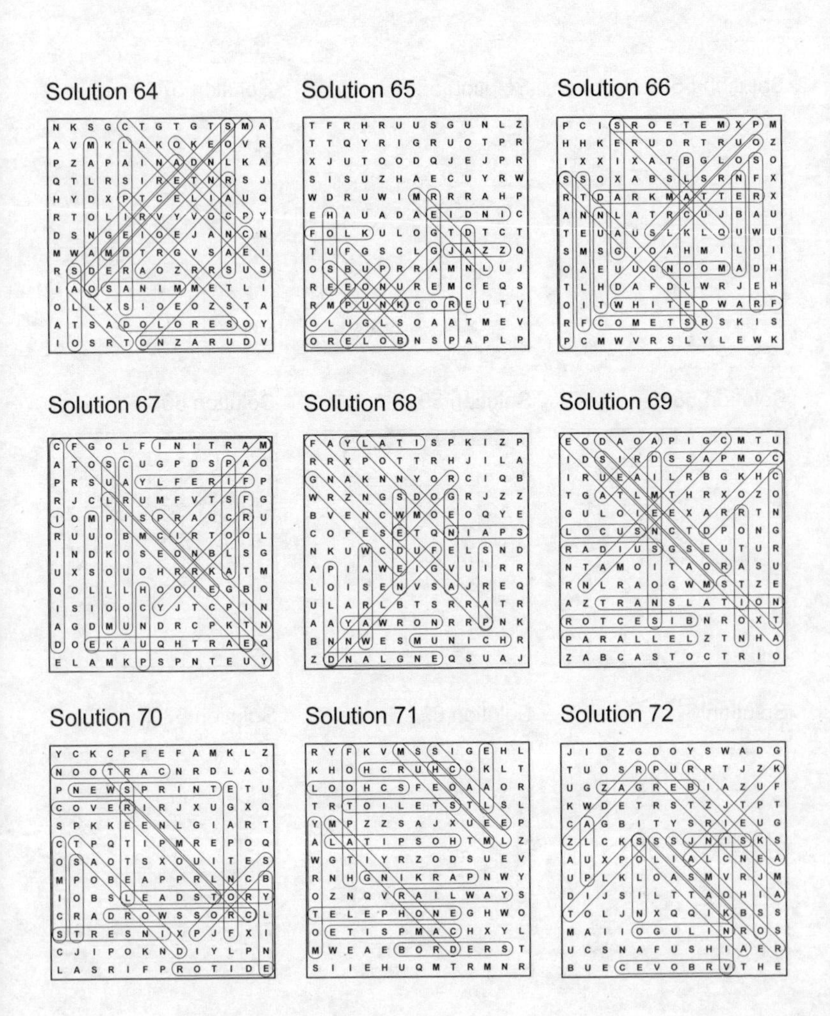
Solution 64
Solution 65
Solution 66
Solution 67
Solution 68
Solution 69
Solution 70
Solution 71
Solution 72

SOLUTIONS

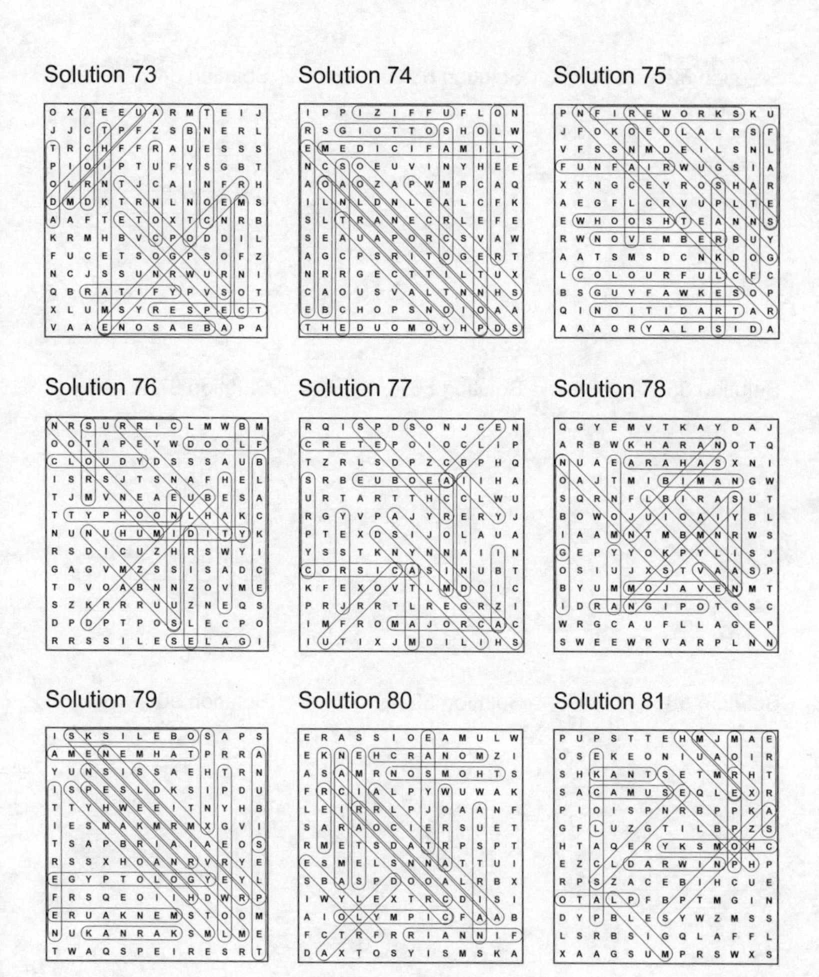

SOLUTIONS

Solution 82

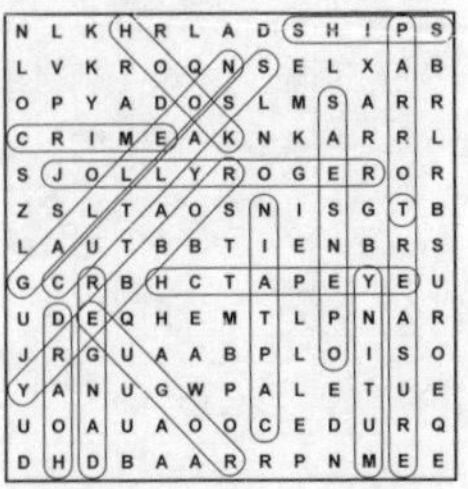

Solution 83

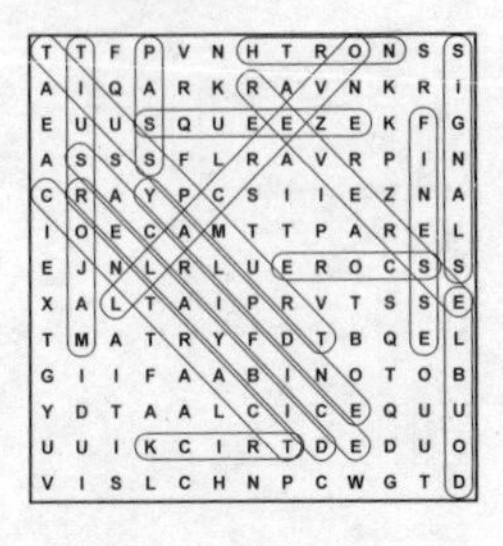

Solution 84

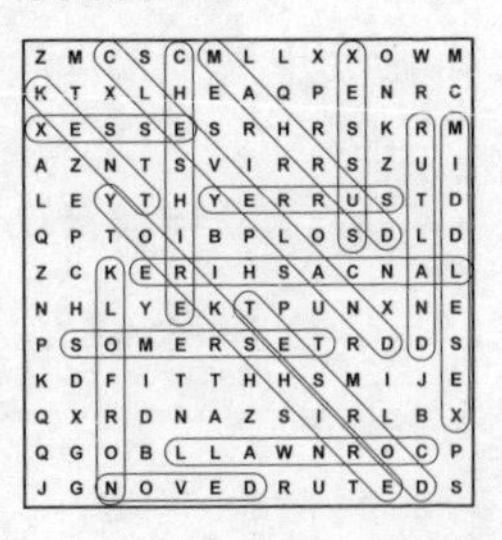

Solution 85

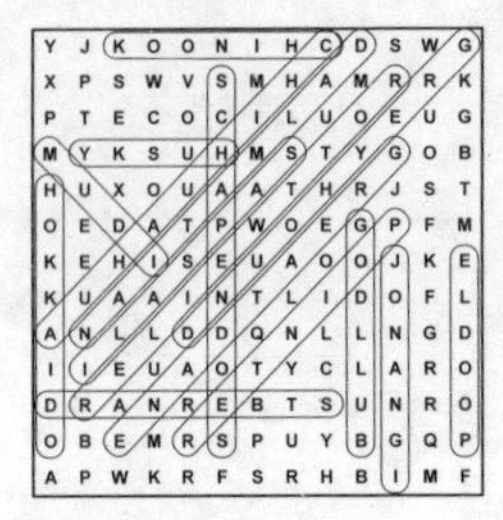

Solution 86

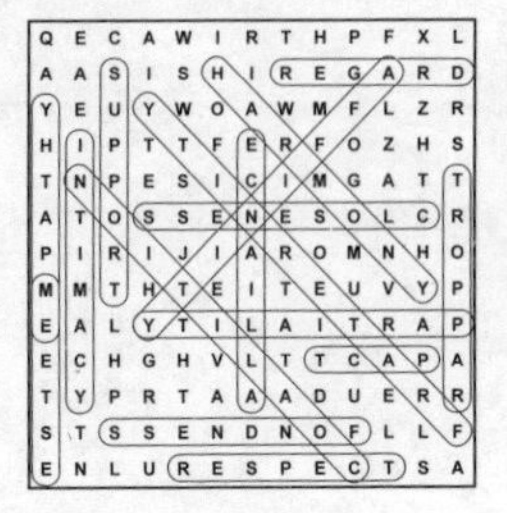

Solution 87

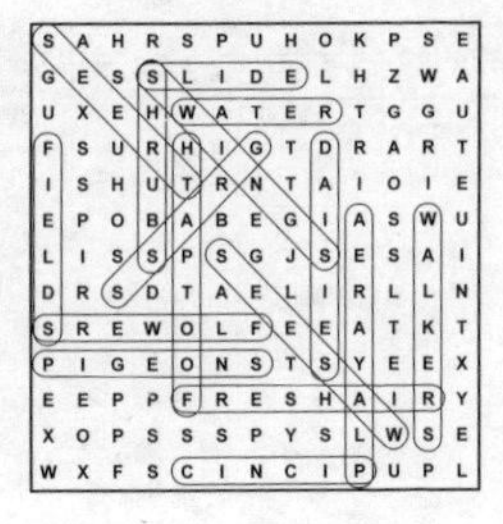

Solution 88

Solution 89

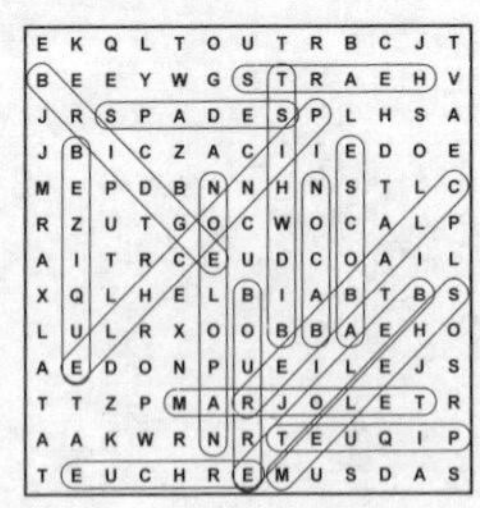

Solution 90

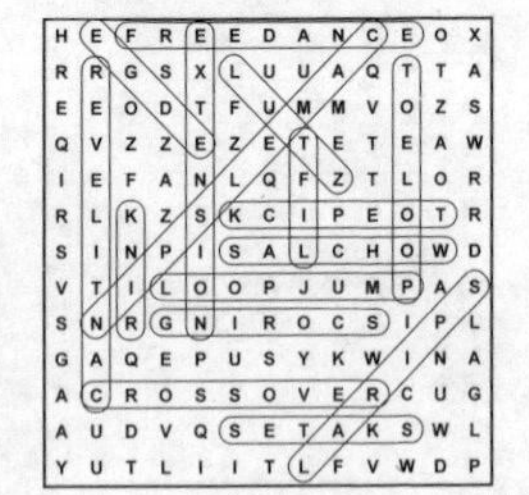

SOLUTIONS

Solution 91

Solution 92

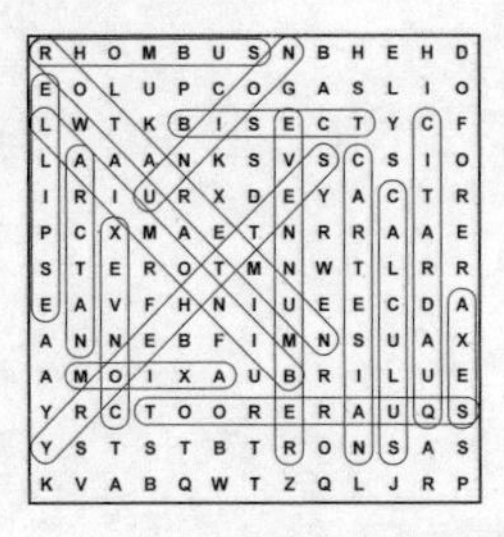

Solution 93

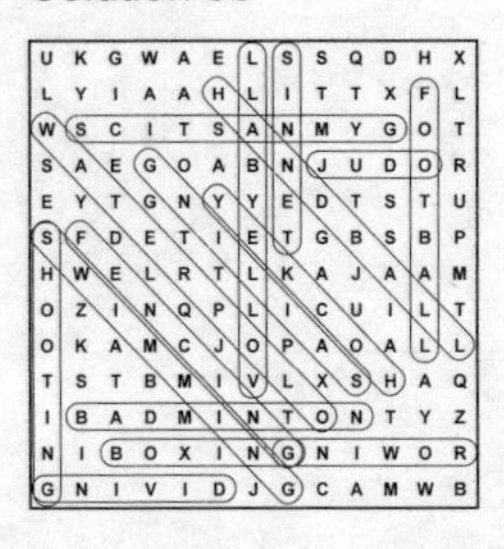

Solution 94

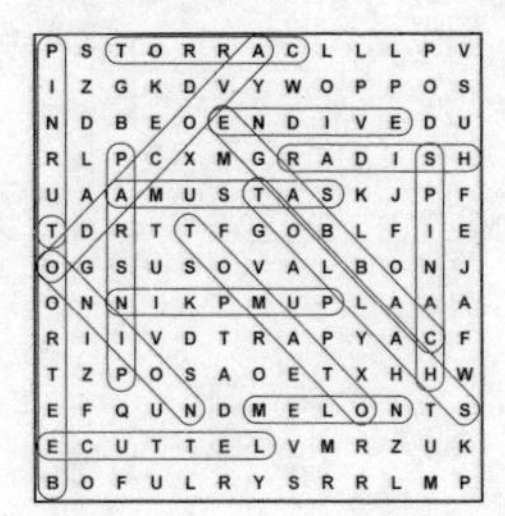

Solution 95

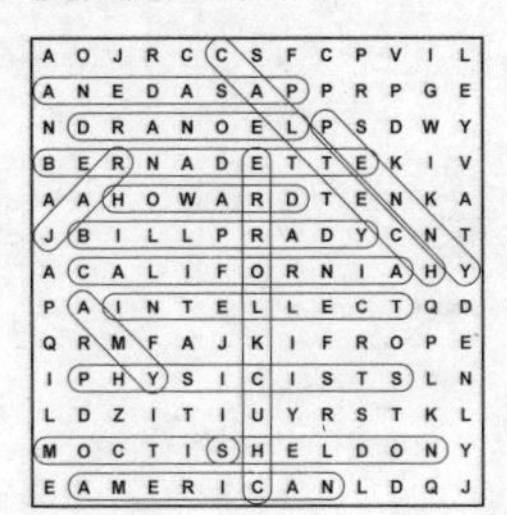

Solution 96

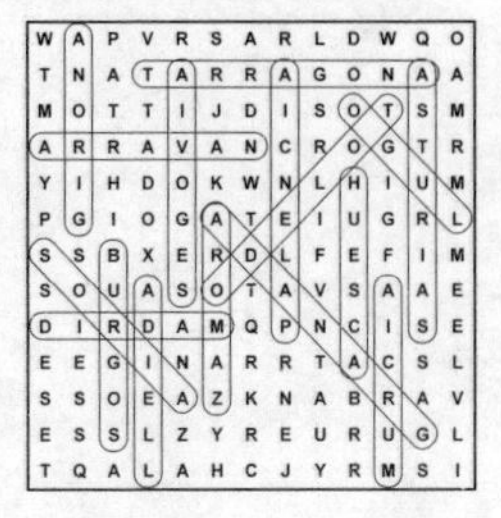

Solution 97

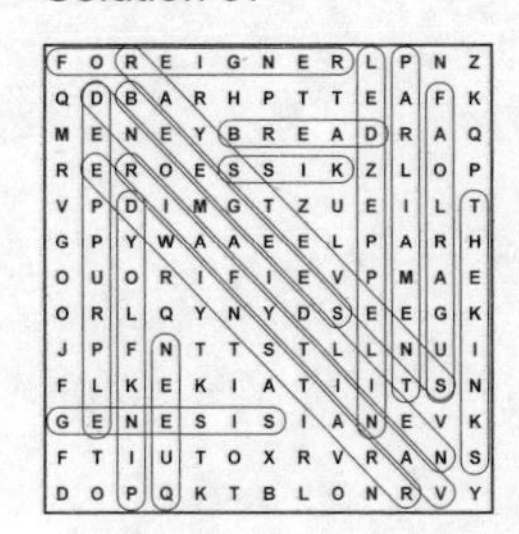

Solution 98

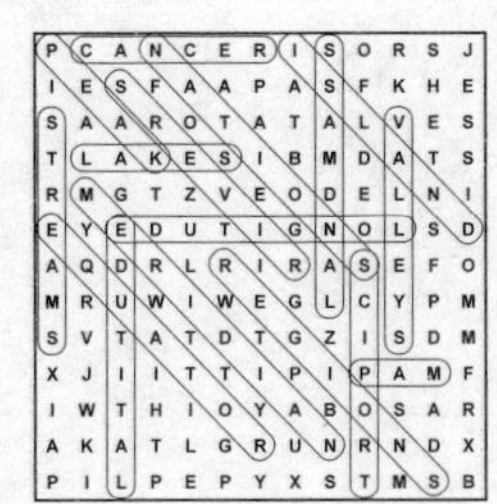

Solution 99

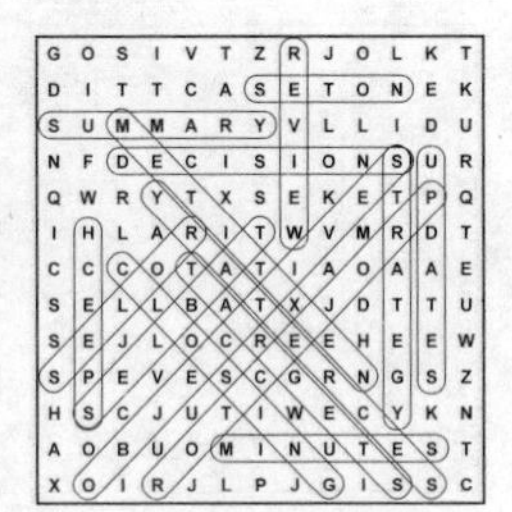

SOLUTIONS

Solution 100

Solution 101

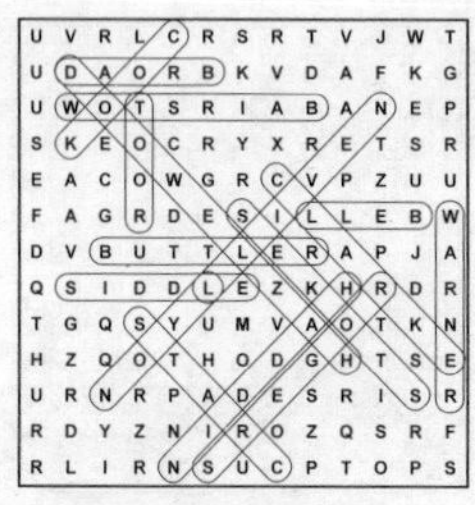

Solution 102

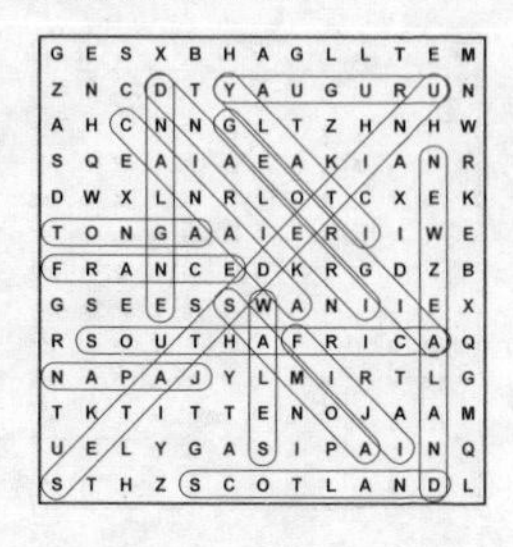

Solution 103

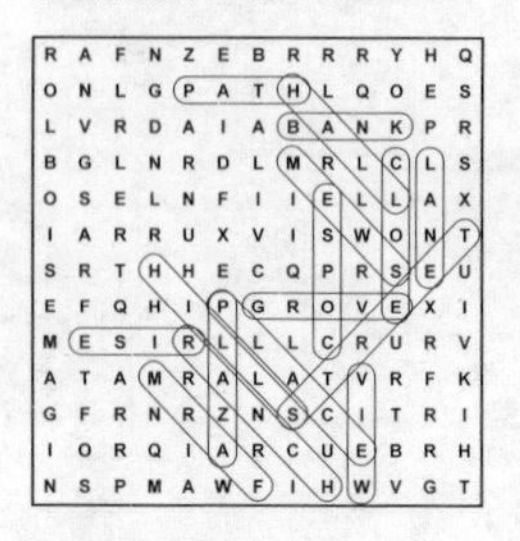

Solution 104

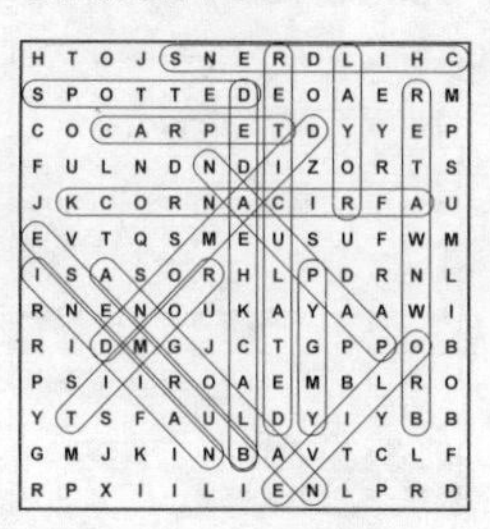

Solution 105

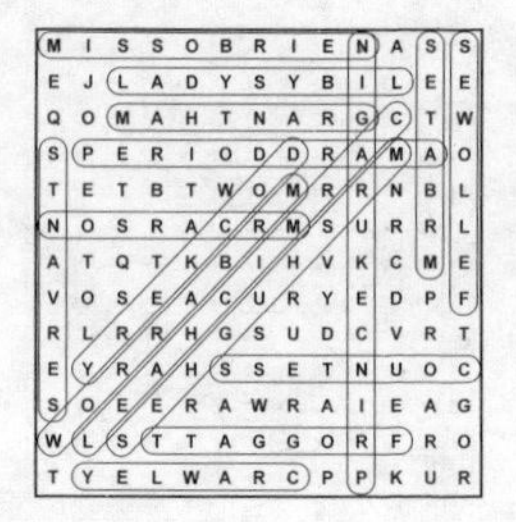

Solution 106

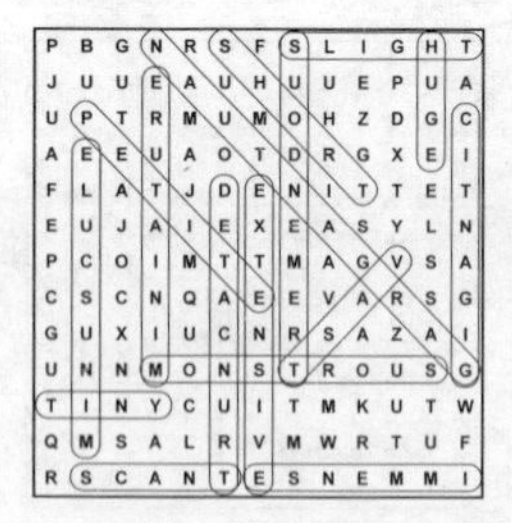